quilt con amor

colchas, cojines, bolsos, mantas y cortinas

Título original:
Quilt Love

Edición Kerenza Swift, Zia Mattocks

Dirección de arte Bárbara Zúñiga

Traducción Remedios Diéguez Diéguez

Revisión de la edición en lengua española
Isabel Jordana Barón
Profesora de Moda. Escola de la Dona
Barcelona

**Coordinación de la edición
en lengua española**
Cristina Rodríguez Fischer

Primera edición en lengua española 2015

© 2015 Naturart, S.A. Editado por BLUME
Av. Mare de Déu de Lorda, 20
08034 Barcelona
Tel. 93 205 40 00 Fax 93 205 14 41
e-mail: info@blume.net
© 2012 Jacqui Small LLP, Londres
© 2012 del texto y de los proyectos
Cassandra Ellis

ISBN: 978-84-16138-33-3

Impreso en China

WWW.BLUME.NET

Este libro se ha impreso sobre papel manufacturado
con materia prima procedente de bosques de gestión
responsable. En la producción de nuestros libros
procuramos, con el máximo empeño, cumplir con
los requisitos medioambientales que promueven
la conservación y el uso sostenible de los bosques,
en especial de los bosques primarios. Asimismo, en
nuestra preocupación por el planeta, intentamos
emplear al máximo materiales reciclados, y solicitamos
a nuestros proveedores que usen materiales de
manufactura cuya fabricación esté libre de cloro
elemental (ECF) o de metales pesados, entre otros.

quilt con amor

colchas, cojines, bolsos, mantas y cortinas

celebrar acontecimientos y explicar historias especiales
con patchwork contemporáneo

Cassandra Ellis
fotografía de *Rachel Whiting*

BLUME

Contenido

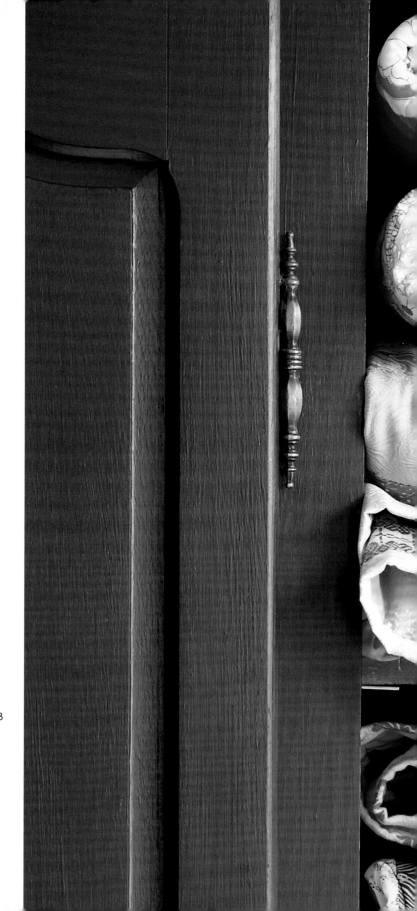

«Celebrar, conmemorar, pero sobre todo *recordar*: recordar el *lugar*, el **momento**, la vida o la **persona**.»

Hilos

Se trata de **juntar** los *hilos*,
de **ensamblar** el **pasado** y el **futuro**,
un **tiempo para pararse** y *pensar* dónde
se ha estado y **hacia** *dónde* se va.

Las colchas y los acolchados explican historias. La creación de valiosas piezas de patchwork habla de amor, pérdida, amistades y nuevos comienzos. El acto de coser los retales, de crear algo práctico y preciado para usted o los suyos, constituye un viaje profundamente personal. Confeccionar colchas o piezas de patchwork más pequeñas ofrece una oportunidad para reunirse con los amigos o bien para trabajar en soledad en algo que incluirá toda una vida de recuerdos, así como de tejer historias con los hilos de la vida de una persona.

Existen diversas razones para crear una colcha y muchos acontecimientos en el transcurso de la existencia que merecen formar parte de ella. Es posible que vaya a empezar una nueva vida o que celebre la nueva vida de otra persona. La unión de dos personas bien vale una colcha, igual que la conmemoración de una trayectoria vital plena. Una colcha permite recordar con amor a un ser querido que ya no está entre nosotros, y el corazón roto de un amigo sanará más rápido con una pieza creada en especial para él.

Quizá haya acumulado algunas telas que le gustan mucho de sus viajes o que ha adquirido en mercadillos y tiendas. Es posible que haya conservado un vestido de unas vacaciones de verano, aquel que cambió su vida. O que guarde un retal del vestido de boda de su abuela, o de una prenda de cuando era niña. Recuerdos, recuerdos... Cuando sostiene esas piezas, siente algo. Y esas telas tejen los hilos de su vida o la de los suyos.

A lo largo de la historia se han confeccionado diversos tipos de colchas. Algunas se creaban por pura necesidad; otras suponían una oportunidad para demostrar la habilidad en costura y la creatividad. Considero que las colchas deberían mostrar las manos y el corazón de sus autores; por tanto, disfrute con sus imperfecciones y su estilo personal. De hecho, lo imperfecto es perfecto. Confíe en su elección de colores y estampados. Si lo que va a confeccionar está destinado a ser un regalo, piense en esa persona, en lo que le gusta, pero no olvide poner un poquito de usted también: al fin y al cabo, estará creando una historia que teje sus hilos. Si la colcha o el patchwork es para usted, piense en su vida, en sus historias y en lo que le hace feliz.

Por tradición, la confección de colchas proporcionaba una oportunidad para sentarse en familia y con los amigos, así como para charlar, resolver problemas o simplemente compartir tiempo. En la actualidad estamos demasiado ocupados y dedicamos nuestro tiempo «libre» a ver la televisión o a navegar en internet en lugar de crear cosas bonitas o disfrutar de la compañía de nuestros seres queridos. Siempre tenemos prisa, pero nuestros recuerdos más felices corresponden a momentos tranquilos junto a la familia o los amigos en vacaciones o bien a los grandes cambios vitales. Celebrar, conmemorar, pero sobre todo recordar: recordar el lugar, el momento, la vida o la persona.

Grandes hechos

Nuestras vidas están construidas sobre una serie de marcas, de momentos y decisiones que nos llevan a la siguiente etapa: nacimiento, inicio y fin de la escuela o educación superior, primer amor, último amor, puesto de trabajo, jubilación, hijos y nietos.

Cada trayectoria es diferente y no todo lo que sucede será relevante para la vida que usted elija. Es posible que tenga hijos o que sea madrina; es posible que se haya casado una, dos o tres veces, o nunca.

La clave reside en escoger y conmemorar sus opciones y los grandes acontecimientos en su vida y la de sus familiares para que corte y empalme su propia historia.

Colcha «Nueva vida»

La llegada inminente de un bebé al mundo siempre es motivo de celebración y una estupenda razón para hacer un regalo.

Por supuesto, existe una enorme lista de elementos prácticos que hay que tener en cuenta y muchos artículos que es necesario comprar. Y nadie duda de que tal acontecimiento irá acompañado de un *tsunami* de peluches, cucharas de plata y gorros de lana.

Sin embargo, el nacimiento cobra tal protagonismo que a menudo nos olvidamos del origen real de esa llegada: quién es el bebé y qué persona llegará a ser son aspectos que están determinados en gran medida por su genética y, por supuesto, por sus padres, que desean, esperan y sueñan con esa personita antes de que exista. Por todo ello, creo que resulta entrañable recibir a un bebé con una colcha, algo que represente no solo quién es, sino también de dónde (y de quién) viene.

Cuando diseñé esta colcha, pensé en el ADN y en que un bebé es una mezcla de su padre y su madre, pero también de sus abuelos, tías, tíos y primos. Resulta asombroso ver crecer a los niños y comprobar cómo los gestos, la altura, el cabello e incluso la manera de andar son muy parecidos a los de algún miembro de su familia.

Así, al situar al bebé en el centro de la colcha y a las dos familias a ambos lados, se da la oportunidad de representar y celebrar la contribución de cada uno de sus miembros.

Tamaño final

La colcha acabada mide 90 × 120 cm. Sirve para una cuna y se trata de un tamaño que resultará muy útil cuando el bebé crezca.

Capa superior

Necesitará aproximadamente un total de 2-2,5 m de tela. Si utiliza la misma tela para las dos caras de la colcha, como he hecho yo, necesitará 1,5 m para esas secciones.

Capa inferior

Si desea que el revés se componga de una sola pieza de tela, necesitará 1,4 m de algodón con una anchura mínima de 110 cm. Si va a confeccionar esta capa con piezas, necesitará aproximadamente 1,5-2 m de tela (dependerá del ancho de la tela). La capa inferior puede confeccionarse con los restos de la superior o bien con otro material distinto.

Ribete

Necesitará alrededor de 0,5 m de tela. De nuevo, puede aprovechar los restos o bien otra tela.

También necesitará

Entretela: una pieza de unos 10 cm más que la capa superior en todos sus lados.

Hilo de costura: hilo multiusos 100 % algodón en un color neutro.

Hilo de acolchar: en algodón 100 % y en el color que prefiera.

Diseño

La confección de esta colcha es sencilla. Una colcha para bebé no debería ser complicada, pero sí brindar la oportunidad de integrar muchas telas especiales (probablemente, invertirá mucho más tiempo buscando telas que creando la colcha). Es el momento de pedir a los padres y los abuelos ropa de bebé de la familia, de diferentes generaciones, para que todos queden representados. También puede utilizar telas nuevas o una mezcla de antiguas y nuevas. Si va a regalar la colcha, averigüe antes con qué colores estará decorada la habitación del bebé para poder elegir telas que realcen la decoración. Es mejor que todas las piezas sean de algodón, ya que es preciso que esta colcha sea muy lavable.

Decidí confeccionar esta colcha con colores *vintage* intensos y un fondo crema, así resulta moderna pero también cálida. Mezclé estampados florales e indios *kantha* en algodón con tela de algodón tejida a mano. Además, es extraordinariamente suave y, por supuesto, no es perjudicial para la salud: la capa inferior también es de algodón orgánico.

Ensamblaje

Esta colcha se puede coser en una tarde. Dado que las piezas son alargadas y finas, es fácil perderlas o confundirse. Por ello conviene disponer de un espacio despejado y lo suficientemente grande para poder extender la colcha mientras la confecciona. Si es necesario, desplace algunos muebles o trabaje en el dormitorio para poder disponer cada tira en el orden correcto sobre una cama.

Reúna sus telas más especiales y decida qué le gustaría utilizar y en qué orden. La atención debe recaer en la franja central (B), que representa al bebé. Los lados son para las telas complementarias. Es posible que tenga piezas tan pequeñas que estas dictarán dónde puede utilizarlas; en caso contrario, encuentre una combinación que resulte agradable a la vista. Decida si va a poner telas repetidas o si la colocación será aleatoria.

Corte

Teniendo en cuenta el diagrama de la página 15, empiece la fila 1 y corte las tres piezas necesarias. Recuerde que la pieza central es la clave. Todos los márgenes de costura miden 1 cm y se incluyen en las medidas indicadas. Coloque las piezas y repita desde la fila 2 hasta la 24. Disponga cada fila en el orden correcto para ver cómo se va formando la colcha. Así tendrá la oportunidad de cambiar las telas si lo considera necesario.

Unión de las piezas

Cosa las tres piezas de la primera fila. Con los derechos mirándose, una A1 a B1, y después C1 a B1. Planche las costuras y repita estos pasos para las filas 2-24.

Para acabar la capa superior de la colcha, cosa las filas con los derechos juntos empezando en la fila superior y uniendo la fila 1 a la 2, y así sucesivamente. Planche todas las costuras a medida que avanza y tendrá su colcha terminada.

Toque final

Decidí añadir algunas piezas de tela extra a mi colcha en algunos de los bordes exteriores (*véase* fotografía, pág. 14). Para ello, puede aplicar las piezas encima de la capa superior de la colcha o bien ajustar las medidas de las piezas a derecha e izquierda para incluir la tela adicional. Se trata de un elemento añadido; usted decide si lo incluye o no.

Finalización de la colcha

Confeccione la capa inferior. Cosa las piezas de tela elegidas de manera que formen un cuadrado como mínimo 10 cm más grande que la capa superior de la colcha finalizada. También puede cortar una única pieza de algodón.

A continuación, forme el «sándwich» de la colcha siguiendo las instrucciones de la página 128.

Esta pequeña colcha es fácil y rápida de confeccionar a mano, y considero que tiene el acabado adecuado para un bebé. Decidí emplear una sencilla puntada corrida y seguí cada una de las costuras a unos 5 mm de la línea de costura (*véase* también pág. 131).

Corte los bordes de la colcha para igualarlos. Esto facilitará la colocación del ribete. Confeccione y sujete el ribete siguiendo las instrucciones de las páginas 132-133.

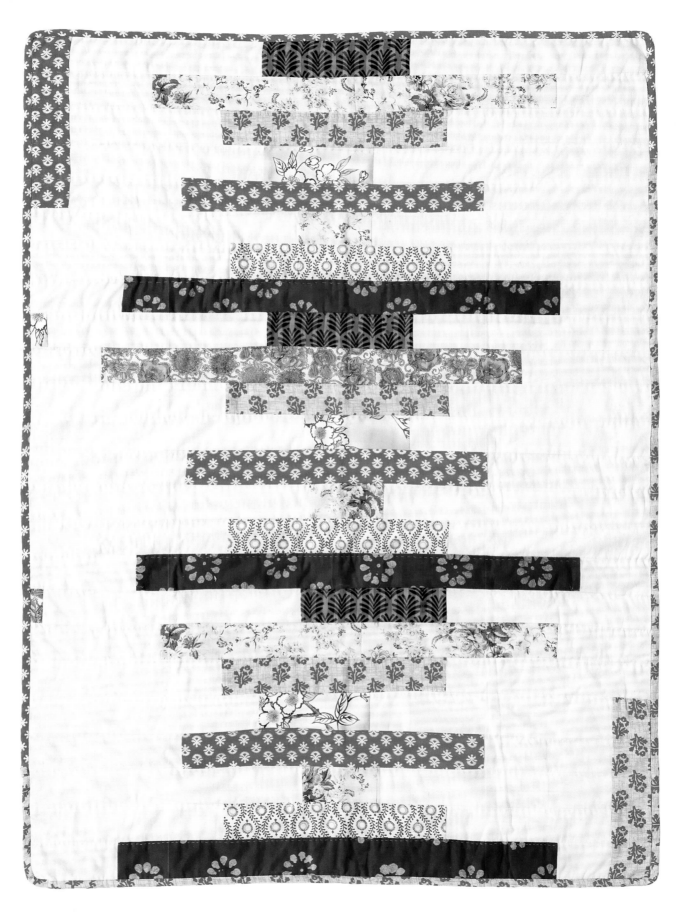

Tamaño final una vez recortada y ensamblada: 90 × 120 cm

	A	B	C
1	37 × 7 cm	22 × 7 cm	37 × 7 cm
2	20 × 7 cm	52 × 7 cm	24 × 7 cm
3	32 × 7 cm	32 × 7 cm	32 × 7 cm
4	40 × 7 cm	17 × 7 cm	39 × 7 cm
5	27 × 7 cm	42 × 7 cm	27 × 7 cm
6	45 × 7 cm	12 × 7 cm	39 × 7 cm
7	35 × 7 cm	32 × 7 cm	29 × 7 cm
8	17 × 7 cm	62 × 7 cm	17 × 7 cm
9	37 × 7 cm	22 × 7 cm	37 × 7 cm
10	12 × 7 cm	62 × 7 cm	22 × 7 cm
11	32 × 7 cm	32 × 7 cm	32 × 7 cm
12	42 × 7 cm	17 × 7 cm	37 × 7 cm
13	27 × 7 cm	42 × 7 cm	27 × 7 cm
14	17 × 7 cm	62 × 7 cm	17 × 7 cm
15	42 × 7 cm	22 × 7 cm	32 × 7 cm
16	22 × 7 cm	57 × 7 cm	17 × 7 cm
17	42 × 7 cm	22 × 7 cm	32 × 7 cm
18	22 × 7 cm	57 × 7 cm	17 × 7 cm
19	32 × 7 cm	32 × 7 cm	32 × 7 cm
20	37 × 7 cm	17 × 7 cm	42 × 7 cm
21	27 × 7 cm	42 × 7 cm	27 × 7 cm
22	42 × 7 cm	12 × 7 cm	42 × 7 cm
23	32 × 7 cm	32 × 7 cm	32 × 7 cm
24	17 × 7 cm	62 × 7 cm	17 × 7 cm

Colcha de matrimonio

Al principio pensé que esta iba a ser una colcha «de boda», que es el punto donde comienza un matrimonio. Pero después caí en la cuenta de que una boda no tiene mucho que ver con el matrimonio, y que en realidad quería celebrar y conmemorar la parte más prolongada, más difícil pero también mucho más satisfactoria: el hecho de estar casados.

El matrimonio puede estar envuelto en encanto, pero lo más habitual es que no sea así. En ocasiones resulta emocionante, y a veces, rutinario y monótono. Las prioridades se transforman, y la pareja también cambia y crece. Hay momentos felices y momentos difíciles, y todo ello mientras se viaja por la vida en compañía de otra persona.

Esta colcha puede ser un regalo para una pareja feliz, o también puede confeccionarla para usted y su pareja. Hay un espacio para el encanto y para los placeres sencillos, así como para la improvisación, con el fin de crear algo bonito (una idea no muy diferente a lo que constituye el matrimonio).

Diseño

Este diseño se basa en una colcha del tipo cabaña de troncos, la más tradicional. No obstante, según mi interpretación, cada bloque está un poco descentrado y tiene su propia personalidad. En lugar de crear un diseño basado simplemente en dos personas, pensé que este debía reflejar que el matrimonio une a muchas personas: familias y amigos de uno y otro lado, así como las decisiones que se toman sobre el lugar donde se vive y qué se puede hacer para introducir nuevos grupos de personas en nuestras vidas.

Comencé a reunir las telas para esta colcha con un retal muy preciado del vestido de boda de mi madre. Recuerdo que cuando de niña vi el vestido, me pareció tan bonito (de seda blanca con bordados en hilo de plata) que no podía creer que existiesen telas así. Mi madre es muy menuda, por lo que era poco probable que el vestido se utilizase otra vez; me encantó la idea de empezar la colcha con el principio de su vida de casada (que, por supuesto, era también el de mi vida). Cuando elegí el resto de las telas, pensé en las cosas que le gustan a mi madre y en los lugares que disfrutaría visitando. Así, esta

Tamaño final
La colcha acabada mide 210 × 210 cm; cada bloque mide 70 × 70 cm.

Capa superior
Necesitará aproximadamente 6 m de tela. Los segmentos centrales de cada bloque tienen que medir 27 × 32 cm; por tanto, asegúrese de que las telas especiales que desea utilizar miden como mínimo ese tamaño. Las piezas más largas deberán ser de 72 cm. Si piensa regalar la colcha, averigüe antes qué le gusta a la pareja y reúna telas de amigos y familiares para que esta sea algo realmente especial.

Capa inferior
Necesitará aproximadamente 5 m de tela (dependerá del ancho). Esta capa puede estar compuesta por restos de la capa superior o bien puede utilizar tela nueva.

Ribete
Necesitará alrededor de 0,5 m de tela. De nuevo, puede aprovechar restos u otra tela.

También necesitará
Entretela: una pieza de aproximadamente 10 cm más grande que la capa superior de la colcha en todos sus lados.

Hilo de costura: hilo multiusos 100 % algodón en un color neutro.

Hilo de acolchar: 100 % algodón en el color que prefiera.

colcha incluye algunos algodones preciosos de la India estampados con xilografías y bonitos algodones florales de Liberty (Londres), una pequeña pieza de seda negra *vintage* de un mercadillo de antigüedades y algodón y sedas japonesas de uno de mis proveedores textiles favoritos con sede en Kioto.

La confección de esta colcha no es complicada, y el diseño (compuesto por nueve bloques individuales) permite que varias personas trabajen en ella a la vez. El centro de cada bloque brinda la oportunidad de destacar las piezas de tela más importantes; sin duda, es el lugar más adecuado para colocar el vestido de novia y la tela del chaleco del novio, o tal vez retales de los trajes de boda de sus padres. El resto de cada bloque puede completarse con telas antiguas y nuevas, cualquier cosa que le guste y que sepa que le seguirá gustando en el futuro.

Ensamblaje

Puede planificar esta colcha de dos maneras. La primera consiste en decidir la distribución de cada bloque de forma individual. Este método sería ideal si van a trabajar varias personas en la colcha o si prefiere un resultado un poco más aleatorio. La segunda opción consiste en planificar toda la colcha de una vez y escoger dónde irá cada pieza. Si prefiere este método, calque el diagrama de la página 20 y úselo como herramienta de planificación. Yo casi siempre utilizo lápices de colores para marcar determinadas telas en el esquema a fin de conseguir una distribución que me guste.

Corte

Una vez decidido el método que más le conviene, llega el momento de empezar a cortar. Todos los márgenes de costura miden 1 cm y se incluyen en las medidas indicadas en el diagrama. Disponga de suficiente espacio para poder colocar un bloque entero; una mesa de comedor será perfecta.

Corte los bloques de uno en uno empezando por la pieza central (número 1) y trabajando hacia fuera (número 2, número 3, y así sucesivamente). Disponga las piezas en el mismo orden que se muestra en el diagrama para poder ver la forma del bloque a medida que avanza. De este modo tendrá la posibilidad de introducir ajustes.

Cuando tenga un bloque entero cortado, puede empezar a coser las piezas.

Consejo para cortar y ensamblar

Cuando corte, le parecerá que las piezas no encajan. No se preocupe: esto se debe a los márgenes de costura. Todo quedará en su sitio cuando cosa las piezas.

Composición de un bloque

De nuevo, empiece con el número 1, la pieza central. Cosa las piezas 1 y 2 con los derechos juntos; a continuación, cosa la 2 a la 3, y así sucesivamente hasta haber cosido las 14 piezas para formar el bloque. Planche las costuras a medida que avanza para asegurarse de que queden lisas y perfectas.

Cuando tenga listo el primer bloque, componga ocho más.

Unión de los bloques

Cuando tenga los nueve bloques, distribúyalos en el orden que prefiera. Si no ha realizado esta operación en la fase de planificación, tómese su tiempo: resulta asombroso cuánto puede cambiar la colcha con solo mover o girar los bloques.

Cuando tenga decidido el orden, sujete con alfileres cada fila de bloques con los derechos juntos para formar tres filas de tres y cósalos. Planche las costuras. A continuación, sujete con alfileres y cosa cada fila terminada para componer un cuadrado. Asegúrese de que las costuras coincidan a medida que avanza. Planche todas las costuras y tendrá acabada la capa superior de la colcha.

Finalización de la colcha

Confeccione la capa inferior. Cosa las piezas elegidas hasta tener un cuadrado de, al menos, 230 × 230 cm o 10 cm más grande que la capa superior acabada (en todos sus lados).

Prepare el «sándwich» para la colcha siguiendo las instrucciones de la página 128.

Acólchelo a mano o a máquina. Las diferentes opciones se explican en la página 131. Yo opté por el acolchado de brazo largo para darle un pequeño toque de lujo.

Corte los bordes de la colcha de manera que queden regulares. De este modo resultará mucho más sencillo ajustar el ribete. Confeccione y coloque el ribete siguiendo las instrucciones de las páginas 132-133.

Que comience la vida de casados… y que sea larga y feliz.

Tamaño del bloque: 70 × 70 cm

1. 27 × 32 cm
2. 27 × 7 cm
3. 7 × 37 cm
4. 10 × 37 cm
5. 40 × 7 cm
6. 40 × 10 cm
7. 9 × 50 cm
8. 47 × 9 cm
9. 7 × 57 cm
10. 12 × 57 cm
11. 62 × 10 cm
12. 7 × 65 cm
13. 67 × 9 cm
14. 7 × 72 cm

Tamaño final con ribete: 210 × 210 cm

Colcha especial de cumpleaños

Cuando se tienen nueve años, cumplir diez parece todo un acontecimiento; los trece son otro hito importante, igual que los dieciocho y los veinte: parece que la fiesta nunca acabará. Y después llegan los treinta, y de repente se es adulto (bueno, se piensa que lo es, porque cuando se cumplen cuarenta años uno se percata de que probablemente no era así). Y la cuenta continúa hasta que, en un momento dado, se empieza a mirar atrás tanto como hacia delante, a recordar los éxitos y los fracasos, las alegrías y las penas, las amistades, los amores, los viajes y las búsquedas.

A todos nos gusta ser admirados y respetados, por nosotros y por los demás. Por ello, celebrar un cumpleaños importante supone un hecho destacado en sí mismo. Tanto si se trata de un regalo para su hija de veinte años como para una amiga que cumple cincuenta, una colcha le permitirá contar historias del pasado y del futuro.

Diseño

Cuando diseñé esta colcha, pensé en los acontecimientos importantes de mi vida. Algunos son pequeños y emotivos; otros, de gran trascendencia, supusieron cambios vitales. Quería reflejar cómo todos estamos hechos de nuestras experiencias, pero también que nos esperan grandes cosas.

La elección de las telas comenzó con un fular de seda que me regaló mi madre por mi treinta cumpleaños. Pensé que los colores ofrecerían un maravilloso punto de partida para una colcha: blanco roto, arena, azul petróleo, verde y azul. Decidí, asimismo, utilizar algunas sedas japonesas lisas y texturadas con tonos azules y verdes, unos fulares *vintage*, una seda dupion de tono arena y dorado y sencillos algodones a topos para juntarlo todo.

Se trata de un diseño controlado, pero que permite mezclar tantas telas como desee: hay piezas pequeñas junto a otras grandes, retales finos con otros con mucho cuerpo. La colcha está formada por cuatro segmentos cuadrados repetidos, lo que facilita su confección en el tamaño que desee (un segmento servirá como pequeña colcha para taparse las piernas; dos serán ideales para una cama infantil, y cuatro, perfectos para una cama doble). Además, el diseño posibilita que trabajen en la colcha varias personas a la vez: por ejemplo, en el caso de que tenga familia en distintos países o en el de un grupo de amigos,

Tamaño final
La colcha acabada mide 220 × 220 cm; cada segmento cuadrado mide 110 × 110 cm.

Capa superior
Requerirá, aproximadamente, 5,5-6 m de tela. El diseño se compone de seis piezas de diferentes tamaños, de manera que calcular lo que necesitará resulta relativamente sencillo. Si utiliza recuerdos, como vestidos o fulares, calcule primero cuánta tela puede aprovechar (consulte las notas al respecto, pág. 124). A continuación, ya podrá comprar o recopilar el resto de telas en función de lo que necesite. Dependiendo de si la colcha va a ser una sorpresa o no, averigüe si a la persona que la recibirá le gustaría añadir algo especial o si su familia dispone de algún retal que desearía incluir. En caso contrario, piense en esa persona: qué colores le gustan, el estilo artístico que le inspira o los lugares que le gustaría visitar.

Capa inferior
Necesitará, aproximadamente, 5 m de tela (dependerá del ancho). Esta capa puede estar compuesta por restos de la capa superior o bien puede utilizar tela nueva.

Ribete
Necesitará alrededor de 0,5 m de tela. De nuevo, puede aprovechar restos u otra tela.

También necesitará
Entretela: una pieza 10 cm más grande, aproximadamente, que la capa superior de la colcha en todos sus lados.

Hilo de costura: hilo multiusos 100 % algodón en un color neutro.

Hilo de acolchar: 100 % algodón en el color que prefiera.

que pueden confeccionar un segmento cada uno para aportar sus colaboraciones individuales. Usted y sus circunstancias deciden (y, por supuesto, la persona que cumple años).

La confección de esta colcha es bastante sencilla, ya que cada segmento cuenta solo con 20 piezas. Es perfectamente posible coser un segmento en una tarde, siempre y cuando tenga a mano todo lo necesario.

Ensamblaje

Dado que esta colcha se compone de cuatro segmentos, es muy importante asegurarse de que las telas más especiales se distribuyan por toda la superficie para que la vista la recorra en su conjunto. Un buen consejo consiste en calcar el diagrama de la página 27 y marcar dónde desea ubicar esas piezas. Córtelas, en primer lugar, y numérelas por detrás con un lápiz (por ejemplo, si decide utilizar una tela especial para la pieza C2 del patrón, escriba «C2» en la parte posterior). A continuación, corte el resto de las piezas para el primer segmento.

Corte

Despeje un espacio próximo a la zona de corte y costura para distribuir las piezas a medida que las corta (una mesa grande o el suelo serán ideales; en este último caso, asegúrese de que está perfectamente limpio o coloque una sábana limpia).

Corte las telas según el diagrama de la página 27 y escriba con lápiz el número correspondiente en el revés de cada pieza. El método más sencillo consiste en comenzar con A1, pero si ya ha cortado algunas piezas especiales, también puede empezar con ellas y elegir y cortar después las piezas que las rodearán. Todos los márgenes de costura miden 1 cm y se incluyen en las medidas indicadas junto al diagrama.

Cuando tenga un segmento entero cortado, puede empezar a coser las piezas.

Composición de los bloques

El sistema de numeración puede parecer un poco aleatorio, pero le aseguro que no lo es: ayuda a «construir los bloques» a medida que va uniendo todos los elementos de la colcha. Cada bloque de un segmento comienza con una letra seguida de un número. Empiece uniendo las piezas A1 y A2 (con los derechos juntos), sujételas con alfileres y después únalas con una costura. Planche la costura.

Siguiendo el diagrama, añada A3 (sujete con alfileres, cosa y planche, como antes). A continuación, añada A4. Ya tiene un bloque completo.

Continúe con el bloque B hasta el E. A medida que vaya cosiendo y componiendo cada bloque, sitúelos en su posición correcta en el segmento antes de comenzar el siguiente. Cuando tenga los cinco bloques completos, confeccione el segmento como se explica a continuación.

Composición de los segmentos

Empiece uniendo los bloques A y B (con los derechos juntos, sujete con alfileres, cosa y planche las costuras). A continuación, cosa el bloque C a los dos anteriores del mismo modo. Junte el bloque D con el E (sujete con alfileres, cosa y planche). Una esos dos bloques al compuesto por A, B y C (sujete con alfileres, cosa y planche). Ya tiene su primer segmento.

Confeccione tres segmentos más de 110 × 110 cm para obtener una colcha de tamaño estándar. No deje de consultar el diagrama para asegurarse de que los bloques están en el orden correcto.

Unión de los segmentos

Cuando termine todos los segmentos, juegue con la ubicación de cada uno para decidir cómo los coloca y en qué dirección. No existe una manera correcta, sino que debe optar por la que más le agrade visualmente.

Sujete con alfileres los dos primeros segmentos con los derechos juntos; cósalos y planche las costuras. Sujete con alfileres los dos segmentos siguientes y repita la operación. Por último, sujete con alfileres esos cuatro segmentos juntos, asegurándose de alinear las costuras; cósalos y planche. Ya tiene la capa superior de la colcha.

Finalización de la colcha

Confeccione la capa inferior. Cosa las piezas elegidas hasta tener un cuadrado de, al menos, 240 × 240 cm o 10 cm más grande que la capa superior acabada (en todos sus lados).

Prepare el «sándwich» para la colcha siguiendo las instrucciones de la página 128. Acólchelo a mano o a máquina. Las diferentes opciones se explican en la página 131. Yo opté por el acolchado de brazo largo, pero quedará igual de bonita si acolcha a mano.

Corte los bordes de la colcha de manera que queden regulares. Así resultará más sencillo ajustar el ribete. Confecciónelo y colóquelo siguiendo las instrucciones de las páginas 132-133.

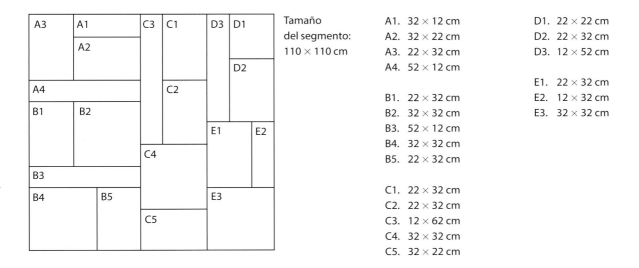

Tamaño del segmento: 110 × 110 cm	A1. 32 × 12 cm		D1. 22 × 22 cm	
	A2. 32 × 22 cm		D2. 22 × 32 cm	
	A3. 22 × 32 cm		D3. 12 × 52 cm	
	A4. 52 × 12 cm			

A1. 32 × 12 cm
A2. 32 × 22 cm
A3. 22 × 32 cm
A4. 52 × 12 cm

B1. 22 × 32 cm
B2. 32 × 32 cm
B3. 52 × 12 cm
B4. 32 × 32 cm
B5. 22 × 32 cm

C1. 22 × 32 cm
C2. 22 × 32 cm
C3. 12 × 62 cm
C4. 32 × 32 cm
C5. 32 × 22 cm

D1. 22 × 22 cm
D2. 22 × 32 cm
D3. 12 × 52 cm

E1. 22 × 32 cm
E2. 12 × 32 cm
E3. 32 × 32 cm

Tamaño final con ribete: 220 × 220 cm

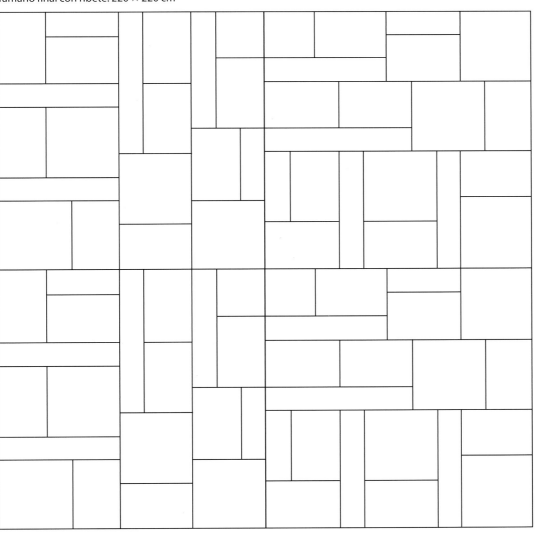

No olvide que puede girar cada segmento para conseguir la composición que más le guste.

Colcha «Se van de casa»

No tengo claro si la marcha de los hijos afecta más a estos o a los padres. Los primeros desean ser independientes, pero siguen necesitando el cariño y el apoyo de los segundos. Quieren volar, pero continúan anclados a su casa y a lo que esta significa. Dejar el nido para ir a la universidad o para independizarse supone para ellos un gran paso. Los cuartos para estudiantes no suelen ser muy agradables: son pequeños, estrechos y normalmente no muy limpios. Mi madre se quedó estupefacta cuando vio dónde vivía después de independizarme; yo ansiaba libertad y ella no entendía cómo podía vivir en aquel «antro».

Así, cuando los hijos abandonan el nido, además de darles comida, lavarles la ropa y dejar que recarguen el móvil, podemos proporcionarles algo que marque sus primeros pasos hacia la edad adulta, algo que además añadirá un toque personal a su primera morada independiente y un agradable recordatorio de las comodidades del hogar.

Diseño

Pensé que esta colcha tenía que ser bastante sencilla, nada complicada, solo un alegre recordatorio del hogar. Con tres franjas anchas, existe la opción de utilizar algo nuevo para reflejar el momento actual, mientras que las franjas pequeñas permiten añadir retales del pasado (de sus hijos y, tal vez, también suyos: un vestido especial, un abrigo o una manta que les recuerde de dónde vienen).

Creo que si elige primero la tela para las franjas anchas, estas formarán una base estupenda para seleccionar todo lo demás, ya que resultará más sencillo hacer encajar las piezas pequeñas en cuanto a los tonos. No obstante, si tiene alguna pieza pequeña realmente importante, utilícela como punto de partida: nunca se sabe hacia dónde puede llevarle.

Para componer los tres segmentos grandes, empecé con un algodón estampado en prímula y amarillo. El color habla de optimismo y esperanza, y el estampado es sencillo pero no infantil: perfecto para la ocasión. Además añadí un ikat en rosa *vintage* y un estampado Liberty con historia.

Incluí telas *vintage* de algodón bordado, algodones estampados y linos suaves en rosa, naranja, marfil y verde para añadir interés a las tiras finas.

Tamaño final

Se incluyen tres opciones: 150 × 210 cm; 180 × 210 cm y 210 × 210 cm.

Capa superior

Necesitará 4-6 m de tela (dependerá del tamaño final que elija).

Asegúrese de que las piezas que seleccione, sea cual sea el tamaño final, tengan la longitud suficiente para ocupar todo el ancho. Si compra algodón para acolchar y no le importa repetir una tela, podrá cortar dos de las secciones anchas de una sola pieza. Si prefiere no repetir telas, siempre podrá utilizar los restos para la capa inferior.

Para las tiras finas, puede emplear piezas de tela o de ropa de cualquier tamaño, siempre y cuando tengan anchuras de 5 cm, 7 cm y 9 cm.

Capa inferior

Necesitará 4-5 m de tela (dependerá del tamaño final de la colcha). Esta capa puede estar compuesta por restos de la capa superior o bien puede utilizar tela nueva.

Ribete

Necesitará alrededor de 0,5 m de tela. De nuevo, puede aprovechar restos u otra tela.

También necesitará

Entretela: una pieza 10 cm, aproximadamente, más grande que la capa superior de la colcha en todos sus lados.

Hilo de costura: hilo multiusos 100 % algodón en un color neutro.

Hilo de acolchar: 100 % algodón en el color que prefiera.

Y para alegrar la colcha en su conjunto elegí un algodón africano impreso a la cera con una divertida mezcla de rosa, amarillo y naranja para la capa inferior. Utilicé el algodón amarillo para el ribete.

Ensamblaje

Probablemente, esta es la colcha más rápida de confeccionar de todo el libro. La parte más difícil es la que tiene que ver con el cuidado de las telas. Decida, en primer lugar, el orden de las tres piezas grandes. La tela del centro será la dominante cuando la colcha esté acabada.

Corte

Corte las tres piezas grandes según las medidas que se indican en el diagrama de la página 32. Todos los márgenes de costura miden 1 cm y se incluyen en las medidas indicadas.

En su mesa de trabajo, disponga de tres zonas para los diferentes anchos de las tiras finas (5 cm, 7 cm y 9 cm). Tome el resto de las telas y corte tiras con esas anchuras. Tiene que formar cuatro filas de tiras de 5 cm de ancho, seis filas de tiras de 7 cm de ancho y seis de 9 cm. Cada tira individual puede tener la longitud que desee. Solo tiene que asegurarse de que dispone, de forma aproximada, de la cantidad adecuada de cada ancho para el número necesario de filas. Es mejor cortar de más; siempre podrá emplear las piezas en la capa inferior o para el ribete.

Consejo para utilizar telas estampadas

Si utiliza telas con motivos bordados
o estampados, asegúrese de planificar
los cortes para aprovechar esos estampados
al máximo en lugar de dividirlos
o perderlos por completo.

Composición de las tiras finas

Componga cuatro filas de tiras de 5 cm de ancho. Elija piezas individuales y únalas con los derechos juntos (sujete con alfileres, cosa y planche a medida que avanza). Utilice piezas cortas y largas, estampadas y lisas, en una secuencia que le agrade. Continúe hasta tener una fila cuya anchura mínima sea la de la colcha más el margen de costura (es decir, 152 cm, 182 cm o 212 cm). Conviene que resulte ligeramente más larga que el ancho de la colcha, ya que más tarde se puede cortar lo que sobre.

Cuando tenga cuatro tiras de 5 cm de ancho, resérvelas y repita el proceso para componer seis filas de tiras de 7 cm de ancho y, por último, seis filas de 9 cm de ancho.

Unión de los segmentos

Ya puede empezar a ensamblar la colcha completa. Siga el diagrama de la página 32 y disponga las piezas. Mueva las filas estrechas para decidir el orden que más le guste; intente evitar que coincidan las costuras verticales. Por eso conviene que cada tira sea más larga de lo necesario, para que pueda moverlas y jugar con sus posiciones.

Cuando encuentre la distribución que más le agrade, sujete con alfileres cada fila, de una en una, y cósalas; planche las costuras. Continúe con el proceso hasta tener unidas todas las filas.

Corte el sobrante de las tiras finas para dar uniformidad a los bordes. La capa superior de su colcha estará lista.

Finalización de la colcha

Confeccione la capa inferior. Cosa los retales elegidos de manera que formen una pieza como mínimo 10 cm más grande que la capa superior de la colcha acabada. A continuación, componga el «sándwich» de la colcha siguiendo las instrucciones de la página 128.

Acolche el sándwich a máquina o a mano. Las diferentes opciones se explican en la página 131. En este caso decidí acolchar a mano con una sencilla puntada corrida. Seguí cada una de las costuras a 5 mm, aproximadamente, de la línea de las mismas. Después cosí filas diagonales aleatorias en la sección central y filas onduladas en las otras dos secciones grandes.

Corte los bordes de la colcha para igualarlos. Esto facilitará la colocación del ribete. Confeccione y sujete el ribete siguiendo las instrucciones de las páginas 132-133.

Tamaño final con ribete: 150/180/210 × 210 cm
La colcha de la página siguiente mide 150 cm de ancho

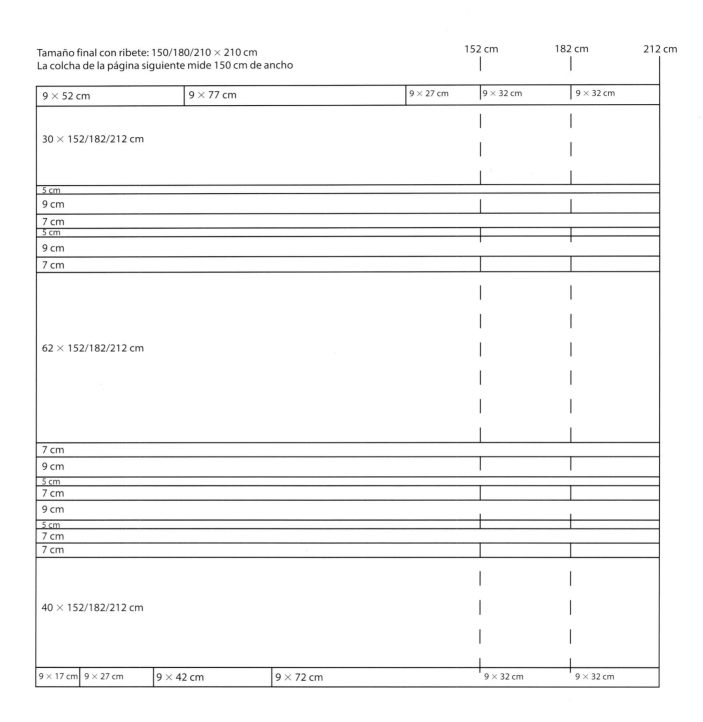

152 cm   182 cm   212 cm

| 9 × 52 cm | 9 × 77 cm | 9 × 27 cm | 9 × 32 cm | 9 × 32 cm |

30 × 152/182/212 cm

5 cm
9 cm
7 cm
5 cm
9 cm
7 cm

62 × 152/182/212 cm

7 cm
9 cm
5 cm
7 cm
9 cm
5 cm
7 cm
7 cm

40 × 152/182/212 cm

| 9 × 17 cm | 9 × 27 cm | 9 × 42 cm | 9 × 72 cm | 9 × 32 cm | 9 × 32 cm |

Colcha «Un nuevo comienzo»

Uno de mis primeros encargos para una colcha me llegó de una mujer que se estaba divorciando. No había tomado ella la decisión, pero estaba ocurriendo. En medio de un momento tan difícil, encargar una colcha puede parecer un poco extraño, pero estaba decidida a comenzar su nueva vida no planificada y no deseada, aunque real, con un regalo muy positivo para ella misma. Esta fue una de las colchas más alegres que he confeccionado.

El hecho de trabajar en la colcha me hizo pensar en todos los nuevos comienzos que vivimos a lo largo de nuestra existencia: nuevos trabajos, ciudades o países; nuevas parejas y pérdidas. Cualquiera de estos cambios puede traer consigo dificultades o felicidad. Tener la suficiente valentía para abordar un nuevo comienzo supone todo un reto, y creo que todos deberíamos honrar esos momentos. No se trata de un premio en sí mismo, sino de un indicador y un recordatorio de la inauguración de una nueva vida.

Diseño

Basada en el diseño tradicional de cabaña de troncos, esta colcha parece un poco «torcida», descentrada, que en general es como se siente uno cuando se enfrenta a un gran cambio. El diseño parte del centro; la primera pieza celebra a la persona protagonista del cambio.

Se trata de una colcha muy sencilla y relativamente rápida de confeccionar, lo cual resulta estupendo por dos razones. En primer lugar, le distraerá un poco de su nueva realidad. En segundo lugar, le obligará a salir y a entretenerse buscando las telas perfectas (tal vez con algún capricho incluido) para su nuevo comienzo.

Cuando elija los retales, comience con la pieza central y busque algo que le guste mucho. Solo necesitará una pieza pequeña, lo que podría justificar una excursión a una feria textil o un mercadillo de antigüedades. También puede elegir una pieza especial que haya guardado durante años, esperando a encontrarle un uso. Para el resto de la colcha, opte por telas que guarden alguna relación con los colores y el estampado de la pieza central. Para ello, tendrá que visitar varias tiendas y escoger bien cada tela; yo adquirí algunas a través de eBay. Dado que el tema de la colcha es un nuevo comienzo,

Tamaño final

La colcha acabada mide 210 × 210 cm. Si lo desea, puede confeccionarla más pequeña prescindiendo de las últimas piezas, o más grande añadiendo más tela.

Capa superior

Necesitará, aproximadamente, 6 m de tela. Si desea repetir telas, puede marcar dónde irán antes de empezar para saber de un modo exacto cuánta cantidad precisará. Si prefiere un enfoque más aleatorio, como me gusta a mí, es probable que acabe con más tela que la que necesita. Puede utilizarla para la capa inferior, el ribete u otros proyectos.

La pieza central es clave; tiene que ser muy especial, y basta con que mida 42 × 32 cm.

La franja más larga que tiene que cortar mide 212 cm, de modo que necesitará una pieza de esa longitud. También puede unir varias piezas para formar una banda con ese largo; de esa manera aprovechará los restos.

Capa inferior

Necesitará, aproximadamente, 5 m de tela (dependerá del ancho). Puede aprovechar los restos de la capa superior o utilizar otra tela.

Ribete

Necesitará alrededor de 0,5 m de tela. De nuevo, puede emplear los restos o bien otra tela.

También necesitará

Entretela: una pieza 10 cm más grande, aproximadamente, que la capa superior en todos sus lados.

Hilo de costura: hilo multiusos 100 % algodón en un color neutro.

Hilo de acolchar: en algodón 100 % y en el color que prefiera.

merece la pena dedicar un tiempo a asegurarse de que cada pieza está donde debe estar.

En este caso, yo quería que la colcha tuviese un aire fresco y alegre. Para inspirarme consulté un libro sobre Paul Poiret, el diseñador de moda francés. Encontré una fotografía de un precioso vestido bordado en verde, rosa y dorado, que fue la clave. Compré una pieza de seda bordada que se convirtió en el centro de la colcha, y a partir de ahí todo fue rodado. Un par de piezas de algodón Liberty, el forro y la capa exterior de un kimono, una franja de terciopelo de algodón y algunos tesoros de mis compras por eBay completaron la selección. Para la capa inferior elegí una tela africana que ofrece un bonito contraste con la superior.

Ensamblaje

Dado que este diseño no incluye muchas piezas, cada tela tiene una gran importancia. La disposición y el «ritmo» creado establecerán el tono y el carácter de la colcha. Conviene contar con un espacio para la planificación y la colocación cerca de la máquina de coser. Si es necesario, mueva los muebles para disfrutar de un espacio amplio en el suelo, o bien traslade la máquina de coser a un dormitorio y distribuya las piezas sobre la cama.

Consejo para distribuir las piezas de tela

Si va a utilizar la cama para organizar las piezas de tela, retire las sábanas y quédese solo con el colchón a fin de que la superficie de trabajo sea lo más lisa posible.

Trabajo desde el centro hacia fuera

Corte la preciada pieza central. Colóquela en el centro y empiece a jugar con el resto de las telas; vaya probando distintas posiciones hasta que le guste el resultado. Observe cómo interactúan los diferentes colores y estampados. Varíe las escalas, los estampados y los colores hasta conseguir una distribución que realmente le agrade.

A continuación, siga el diagrama de la página 38 para cortar y unir las piezas (con los derechos juntos) en el orden indicado: junte la pieza 1 con la 2, y después añada la pieza 3. Todos los márgenes de costura miden 1 cm y se incluyen en las medidas indicadas en el diagrama. No se olvide de planchar cada vez que una dos piezas.

No corte todas las piezas de una sola vez, sino a medida que las va cosiendo. De este modo podrá introducir cambios al mismo tiempo que la colcha va creciendo.

Finalización de la colcha

Confeccione la capa inferior. Cosa las piezas de tela elegidas de manera que formen un cuadrado de, al menos, 230 × 230 cm o que sea 10 cm más grande que la capa superior de la colcha acabada.

A continuación, forme el «sándwich» de la colcha siguiendo las instrucciones de la página 128.

Acolche el sándwich a máquina o a mano. Las diferentes opciones se explican en la página 131. En este caso decidí acolchar a mano con una sencilla puntada corrida. Seguí cada una de las costuras a 5 mm de la línea de las mismas, aproximadamente. Después cosí grandes flores y bordados para añadir un toque de interés.

Corte los bordes de la colcha para igualarlos. Esto facilitará la colocación del ribete. Confeccione y sujete el ribete siguiendo las instrucciones de las páginas 132-133.

Con ello habrá terminado. Creo que ya ha llegado el momento de familiarizarse con el nuevo comienzo.

Tamaño final con ribete: 210 × 210 cm

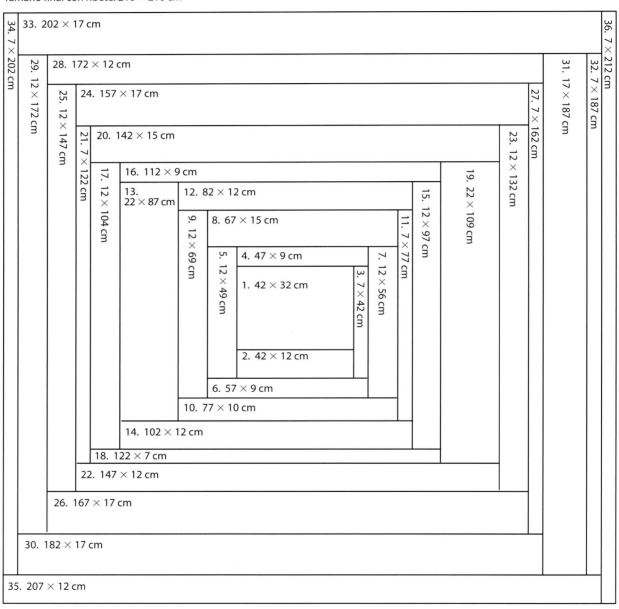

34. 7 × 202 cm

33. 202 × 17 cm

36. 7 × 212 cm

32. 7 × 187 cm

31. 17 × 187 cm

29. 12 × 172 cm

28. 172 × 12 cm

27. 7 × 162 cm

25. 12 × 147 cm

24. 157 × 17 cm

23. 12 × 132 cm

21. 7 × 122 cm

20. 142 × 15 cm

19. 22 × 109 cm

17. 12 × 104 cm

16. 112 × 9 cm

15. 12 × 97 cm

13. 22 × 87 cm

12. 82 × 12 cm

11. 7 × 77 cm

9. 12 × 69 cm

8. 67 × 15 cm

7. 12 × 56 cm

5. 12 × 49 cm

4. 47 × 9 cm

3. 7 × 42 cm

1. 42 × 32 cm

2. 42 × 12 cm

6. 57 × 9 cm

10. 77 × 10 cm

14. 102 × 12 cm

18. 122 × 7 cm

22. 147 × 12 cm

26. 167 × 17 cm

30. 182 × 17 cm

35. 207 × 12 cm

Colcha «Unión»

Unirse, estar juntos: algunas parejas se casan y otras no, pero la promesa de «estar juntos» tiene la misma importancia. Decidir estar con alguien y compartir un mismo techo requiere compromiso emocional y práctico, además del mutuo acuerdo. De repente, su cama de hierro forjado francés tiene que compartir espacio con su colección de guitarras, y su escritorio antiguo, con su pantalla plana. Lo que debería ser un idilio romántico se convierte, en muchos casos, en una lucha emocional por el espacio físico. No obstante, lo que ocurre cuando se comparte espacio y posesiones es que se empieza a construir una historia con otra persona.

Me encanta la idea de confeccionar una colcha que represente a los dos miembros de una pareja: su estampado Liberty con la camisa de cuadros de él, o viceversa. Pueden hacerla juntos, o al menos decidir juntos cuál es su primera posesión compartida. Y eso debería estar por encima de cualquier disputa sobre pantallas planas y escritorios.

Con esta colcha quería reflejar de un modo distinto la idea de estar juntos, así que decidí unir también culturas. Y ello puede ser tan arriesgado o tan positivo como vivir en pareja, pero, al centrarme en el amor compartido hacia las telas, pensé que el resultado podía ser muy especial. Me gusta el aspecto artesanal del tintado con índigo, y consideré que esta colcha me ofrecía una gran oportunidad de ahondar en las diferentes ejecuciones de una técnica antigua como esta.

Diseño

Este diseño resulta muy sencillo y comienza con la colaboración entre usted y su pareja. Aunque sus estilos sean por completo opuestos, la sencillez del diseño «a rayas» permite juntar telas y estampados en apariencia muy dispares. Dado que cada pieza de tela es bastante pequeña y todas tienen más o menos el mismo tamaño, los estampados grandes y los pequeños, así como los colores intensos y los discretos, se mezclarán y crearán algo realmente gráfico, hermoso y muy personal.

Tamaño final

La colcha acabada mide 210 × 200 cm. Puede confeccionarla con el ancho y el largo deseados: para aumentar las medidas, añada más filas o tiras a las filas; para reducirlas, incluya menos.

Capa superior

Necesitará, aproximadamente, 6-7 m de tela. Los diseños compuestos por muchas piezas pequeñas requieren más tela, ya que se pierde el margen de costura cada vez que se utiliza la máquina de coser.

El mejor punto de partida consiste en emplear las propias telas que los dos miembros de la pareja deseen aportar (sus pasados individuales). Agrúpelas y compruebe si surge un tema o unos colores que les gusten a los dos (su presente). Cuando tengan lista la selección, podrán salir juntos de compras para rellenar los huecos y acabar la colcha (su futuro).

Capa inferior

Necesitará, aproximadamente, 5 m de tela, pero recuerde que debe añadir más si aumenta las medidas. La capa inferior puede estar compuesta por restos de la superior o por otra tela nueva.

Ribete

Necesitará alrededor de 0,5 m de tela. De nuevo, puede aprovechar los restos o bien otra tela.

También necesitará

Entretela: una pieza 10 cm mayor, aproximadamente, que la capa superior en todos sus lados.

Hilo de costura: hilo multiusos 100 % algodón en un color neutro.

Hilo de acolchar: en algodón 100 % y en el color que prefiera.

Esta colcha se compone de varias telas tradicionales índigo de India, África y Japón, además de denim de cambray de América y estampados con índigo de Liberty (Londres). Incluso teñí algunas telas yo misma. Para introducir un poco de equilibrio, incorporé algunas piezas de algodón de color marfil tejido a mano. Para la capa inferior compré un precioso algodón de Ghana estampado con reserva de cera (en índigo, por supuesto).

Consejo para utilizar telas teñidas a mano

Cuando utilice telas teñidas a mano, asegúrese de lavarlas varias veces hasta que el agua salga clara. Un hervor rápido en agua salada también ayuda. Y no se olvide de lavarlas por separado en función de los colores.

Ensamblaje

Esta colcha se compone de muchísimas piezas, cosa que puede parecer abrumadora, pero si descompone el proyecto en varias partes comprobará que, en realidad, resulta muy sencilla de confeccionar. Lo primero que tiene que hacer es contar las diferentes telas de que dispone. A continuación, prepare el mismo número de sobres grandes o fundas de plástico. Yo utilizo los sobres para organizar las piezas cortadas porque a veces no tengo tiempo para empezar a coser la colcha después de cortarlas, pero sobre todo porque soy muy desordenada y me ayudan a organizarme.

Corte

Corte la primera pieza de tela o de ropa en tiras de 22 cm (en la página 124 encontrará consejos para cortar piezas de ropa). Coloque cada tira sobre la superficie de trabajo y córtelas en anchos aleatorios (entre 5 y 12 cm). No es necesario que las mida, ya que conseguirá un ritmo natural de ancha, ancha, estrecha, mediana, mediana, estrecha, y así sucesivamente. Acabará con piezas de 22 cm de largo por 5-12 cm de ancho.

Cuando acabe con estos primeros cortes, ponga las tiras en un sobre y etiquételo: estampado de leopardo, o camisa de cuadros, o el material elegido, número 1. Continúe con esta operación hasta que tenga todas las piezas cortadas y clasificadas en sobres etiquetados.

Unión de las tiras

Tome las telas de los sobres y póngalas en fila. Tome una pieza y cósala con la siguiente a lo largo de los 22 cm de longitud, con los derechos juntos; continúe añadiendo piezas. Esto es todo lo que tiene que hacer. No hay un modo correcto; a medida que vaya trabajando encontrará las combinaciones que le gustan. Continúe cosiendo hasta que se acerque al ancho necesario y planche todas las costuras para alisar las tiras y obtener la anchura real. Siga así hasta alcanzar la anchura deseada.

Comience la siguiente fila y proceda del mismo modo. Para esta colcha se necesitan diez filas de 22 cm de largo por 210 cm de ancho. Si algunas son un poco más anchas, podrá cortar lo que sobre al final.

Unión de las filas

Disponga las filas en el orden que más le guste. Puede hacerlo sobre la cama o en el suelo, o incluso en una pared. Este es un paso muy importante, por lo que sería ideal que lo hiciese con su pareja.

Empiece por la fila superior. Sujete con alfileres dos filas con los derechos juntos. Utilice suficientes alfileres para impedir que las filas se tensen y se tuerzan, que es algo a lo que tienden en este tipo de colcha. Cosa las filas y repita el proceso hasta tenerlas todas unidas. Planche las costuras y corte el exceso de tela en caso necesario.

Finalización de la colcha

Confeccione la capa inferior. Cosa las piezas de tela elegidas de manera que formen una superficie de, al menos, 230 × 220 cm o 10 cm más grande que la capa superior de la colcha acabada.

A continuación forme el «sándwich» de la colcha siguiendo las instrucciones de la página 128.

Acolche el sándwich a máquina o a mano. Las diferentes opciones se explican en la página 131. En este caso me decidí por el acolchado de brazo largo, ya que ayuda a ensamblar piezas aparentemente dispares. Además, la colcha queda un poco más lisa, cosa que considero conveniente para este diseño.

Corte los bordes de la colcha para igualarlos. Esto facilitará la colocación del ribete. Confeccione y sujete el ribete siguiendo las instrucciones de las páginas 132-133.

Tamaño final con ribete: 210 × 200 cm

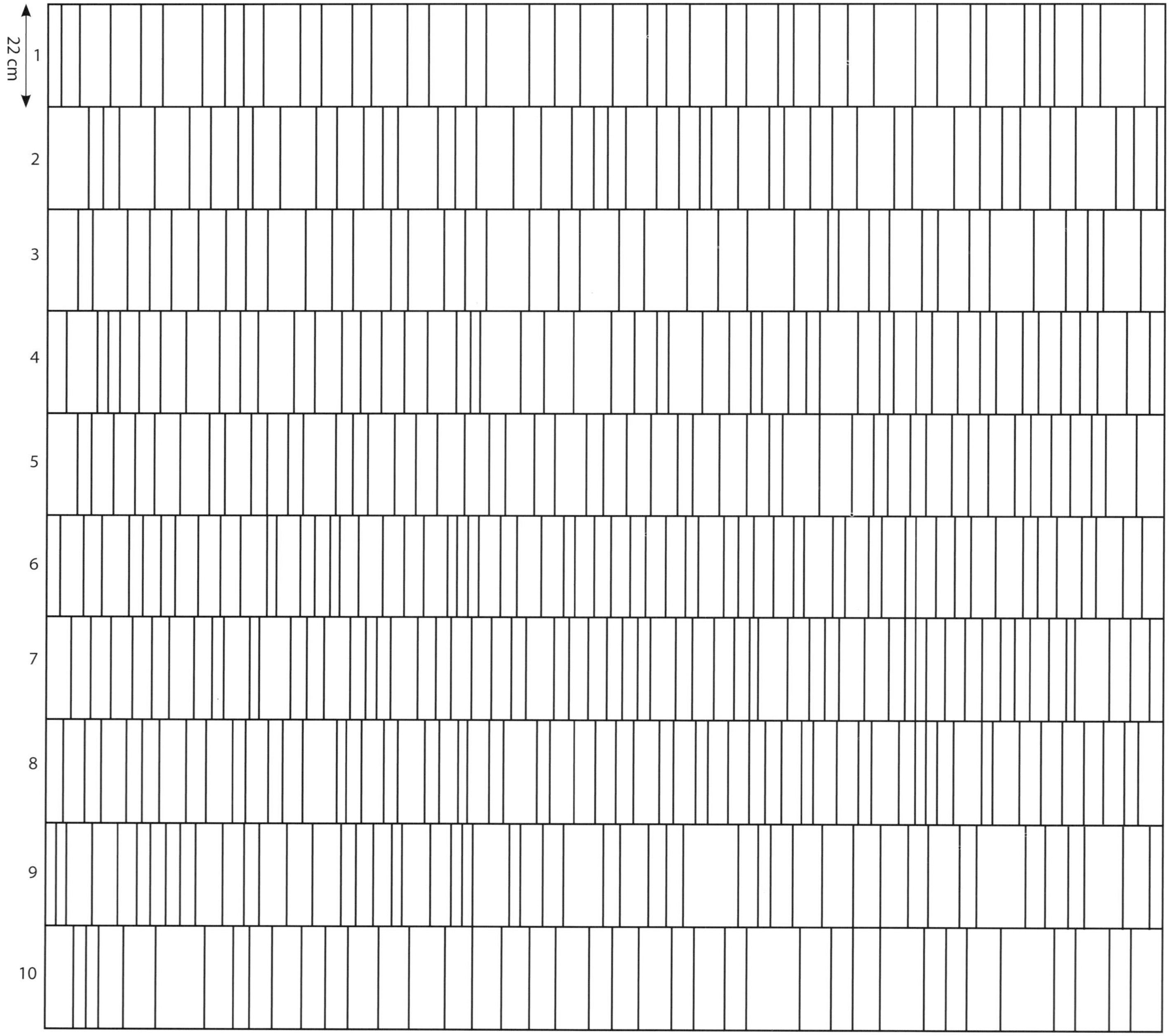

22 cm

1

2

3

4

5

6

7

8

9

10

Amor

Se ha escrito muchas veces que no se puede vivir sin amor.
Pero no hay un solo tipo de amor, y la clave de la felicidad parece
radicar en encontrar, dar y recibir amor de todo tipo. Existe
el amor romántico, al que la mayoría de nosotros aspiramos.
Y también está el amor por la familia (en ocasiones sencillo, y
a veces complicado). Existe el amor hacia las mascotas, que nos
dan tanto y nos piden tan poco. Y está el amor por los amigos, las
personas que elegimos para que formen parte de nuestras vidas.
Pero tal vez el más importante sea el amor que entregamos.

El amor, en cualquiera de sus tipos, es un vínculo. Me gusta
imaginarlo como un hilo que teje y une (y en ocasiones anuda),
que siempre conecta y que nunca (a ser posible) se rompe.

Colcha
«Porque les quiere»

¿Tiene un perro o un gato a los que adora, o una encantadora ahijada que juega con un cochecito para muñecas? ¿Conoce a alguien que desearía poseer un bonito fular para taparse las piernas? Estoy segura de que su respuesta es afirmativa para alguna de estas preguntas.

En ocasiones confecciono colchas de manera «aleatoria»: en lugar de medir, cortar y coser, simplemente organizo un grupo de telas que me gustan y me pongo a ello. Resulta increíblemente liberador y sorprendente descubrir cuánta belleza puede surgir cuando no se planifican demasiado las cosas.

Con esta colcha, mi intención era diseñar un pequeño proyecto de confección rápida, pero que también le diese la oportunidad de ser un poco más libre. Debería confiar en su instinto y sus ideas, algo en lo que precisamente considero que la creación de acolchados tendría que basarse. Además, quería mostrar un modo distinto de acolchar y acabar una pieza.

Los esquemas cromáticos para estos acolchados los elegí a partir de una bolsa de retales de sedas japonesas que adquirí en una feria. Me encanta este modo de comprar, ya que nunca se sabe qué tesoros nos encontraremos. Puede ocurrir que gran parte de las telas no sean de su agrado, pero lo más habitual es que suceda todo lo contrario. Los retales de seda para esta pieza en concreto son de tonos marfil, pizarra, rosa oscuro, ocre y azul marino: una bonita combinación que seguramente nunca habría conseguido por mí misma.

Para las telas de la capa inferior visité mi tienda de tejidos favorita y elegí una selección de algodones suaves, pero un poco más resistentes para dar un poco de solidez al acolchado.

Tamaño final
Este proyecto sirve únicamente para colchas pequeñas, de hasta 120 × 150 cm.

Capa superior
Analice las telas de que dispone. Si va a confeccionar la colcha para su mascota, la seda no es la mejor elección, pero sí sería la más acertada para una tía, por ejemplo. Es importante que se asegure de que las telas elegidas no solo son bonitas, sino también adecuadas, ya que la idea es que se pueda disfrutar del regalo durante mucho tiempo.

Capa inferior
Resulta más sencillo utilizar una pieza de tela. Un cachemir suave, algodón, terciopelo o lino con textura serían ideales. La tela para esta capa tiene que ser 2 cm más grande en todos sus lados que el tamaño final que elija. Por tanto, decida las dimensiones de la pieza acabada y añada 2 cm más al ancho y al largo. Por ejemplo, para una colcha de 60 × 90 cm necesitará una capa inferior de 62 × 92 cm.

También necesitará
Entretela: entre una y cuatro piezas de unos 2 cm menos que el tamaño final. El número de capas de entretela que utilice otorgará a la pieza un tacto distinto: cuatro capas es lo ideal para una mascota, ya que la colcha ofrecerá un agradable acolchado, mientras que una única capa bastará para un cochecito de muñecas.

Hilo de costura: hilo multiusos 100 % algodón en un color neutro.

Hilo de bordar en el color que prefiera. También puede utilizar lana, cuerda o hebras finas de cuero.

Diseño

En primer lugar, decida el tamaño de la colcha. Ello dependerá del uso que se le vaya a dar. Piense cuántas telas quiere utilizar y si desea realzar alguna sección concreta, como un pájaro o una flor grande.

Ensamblaje

Para esta colcha es preciso empezar con la capa inferior. Después de decidir las dimensiones finales, corte una pieza 2 cm más grande en todos sus lados (*véase* «Capa inferior», pág. 48). Utilice esta pieza a modo de plantilla para la capa superior.

Estilo libre

Ahora empieza la diversión. Disponga su selección de telas como más le guste. A continuación, tiene que «construir bloques» cortando y uniendo las piezas para formar piezas más grandes. Se trata del mismo método que se emplea en la mayoría de los proyectos de este libro; la única diferencia es que no hay un patrón ni unas medidas predeterminadas que seguir: por eso lo llamo «estilo libre» (*véase* pág. 134). La única regla es que, después de coser dos piezas, estas tienen que ser de la misma longitud. Si una es más larga que la otra, tendrá que cortar el exceso antes de coser la siguiente. En las tres colchas que se muestran, he utilizado piezas de varios tamaños y distribuciones distintas para cada uno.

Confeccionar la capa superior

Todos los márgenes de costura miden 1 cm. Empiece cortando, sujetando con alfileres y cosiendo dos piezas de tela con los derechos mirándose. Planche las costuras. A continuación, decida qué tela desea utilizar para la siguiente pieza, dónde va a colocarla y qué tamaño tendrá.

Siga cortando y uniendo piezas. Emplee la capa inferior a modo de plantilla para asegurarse de que obtiene la forma y el tamaño correctos. El tamaño y el orden de las piezas que vaya añadiendo es una decisión por completo suya. Asegúrese de que la capa superior acabada sea ligeramente más grande que la inferior.

Confección

Cuando termine con la capa superior, planche todas las costuras y colóquela con el derecho hacia arriba. Ponga encima la capa inferior, con el derecho hacia abajo, y corte el exceso de la pieza superior, de manera que ambas tengan el mismo tamaño. Sujételas con alfileres. Cosa tres de los lados y deje abierto uno de los más cortos. Planche las costuras, dé la vuelta a la colcha y vuelva a planchar.

Corte entre una y cuatro piezas de entretela 2 cm más grandes que el tamaño final en todos sus lados. El número de capas de entretela que utilice dependerá del uso que se le vaya a dar a la colcha (*véase* «También necesitará», pág. 48). Disponga las piezas de entretela en capas e introdúzcalas en la colcha. Asegúrese de que la entretela queda completamente lisa y bien ajustada en las esquinas. Si le parece demasiado grande, recorte la entretela. A continuación, cosa la costura abierta con los orillos doblados hacia el interior. Hágalo a mano con puntada invisible.

Lo único que tiene que hacer ahora es añadir unas puntadas de cruz a través de las capas. En el aspecto práctico, esas puntadas mantendrán las tres capas juntas, pero además le brindarán la oportunidad de incluir sus últimos toques decorativos. Este tipo de acolchado se parece más a un insertado, pero cumple exactamente el mismo papel que el acolchado a mano o a máquina (*véase* pág. 131).

Con un bolígrafo de tinta borrable o una tiza de sastre y una regla, marque dónde desea situar los puntos de cruz. Con el hilo de bordar elegido y una aguja, cosa a través de las capas de tela con puntadas de cruz individuales. Si no lo ha hecho nunca, en YouTube encontrará muchos tutoriales que le servirán de ayuda. Limpie las marcas de tiza o de bolígrafo y habrá terminado.

Colcha
«Porque sabe que la necesitan»

¿Cuántas veces, cuando caminamos por las calles de nuestras ciudades, vemos a alguien a quien no le iría mal un poco de consuelo? En las noticias siempre vemos desgracias y destrucción. Es posible que tenga un vecino que esté pasando por una racha difícil de manera repentina. Alguien de su familia podría estar viviendo un mal momento. O es posible que usted colabore con una organización benéfica que hace grandes cosas y que le impulsa a hacer lo mismo.

Disponer de un lugar cómodo y seguro para dormir es algo que todos damos por hecho, pero ¿qué hay de los sin techo, los que sufren o los que están solos? Imagine qué colcha podría confeccionar para alguien que sabe que la necesita, conocido o no. En todas partes hay personas que precisan consuelo y calor.

Diseño

Cuando diseñé esta colcha, quería crear algo sencillo y relativamente rápido de confeccionar, pero que también resultase bonito (e incluso diría que alegre). También pretendía que fuese una pieza que cualquiera pudiese confeccionar o que le permitiera reunir a un grupo de amigos para acabar varias colchas en un día.

Elegí colores que sabía que serían prácticos y visualmente enriquecedores. El punto de partida fue una maravillosa tela estampada con hortensias y mariposas en tonos teja, amarillo y azul. Los colores influyen en el estado de ánimo y en el comportamiento, y deseaba trabajar con colores que ejercieran un efecto positivo: el amarillo es sinónimo de felicidad; el azul, de tranquilidad, y el teja, de calidez. Para acompañar y ligarlo todo, utilicé algodones y linos lisos, una chaqueta de patchwork *vintage* y unas piezas de algodón indio estampado con bloques. Y añadí un toque extra de calidez con pana de color teja para la capa inferior. En cuanto al ribete, empleé una tira de sari indio de seda que aporta un toque de lujo.

Esta colcha es una de las más sencillas y rápidas de confeccionar del libro, además de tratarse de un proyecto increíblemente terapéutico y beneficioso

Tamaño final
La colcha acabada mide 150 × 150 cm, pero puede confeccionarla con las medidas que desee en incrementos de 30 cm: de 150 × 180 cm serviría para una cama individual, y de 210 × 210, para una cama doble.

Capa superior
Necesitará, aproximadamente, 5 m de tela o varias telas para este diseño. Debe asegurarse de que cada pieza mida como mínimo 33 cm de largo.

Capa inferior
Necesitará unos 4-5 m de tela (dependerá del ancho de la misma). Puede confeccionarla con restos de la capa superior, o bien con otro material. Como alternativa, puede emplear una manta, paño de lana o lana. Si se decide por esta opción, no tendrá que utilizar entretela, lo que facilitará todavía más la confección de la colcha.

Ribete
Necesitará alrededor de 0,5 m de tela. De nuevo, puede aprovechar restos o bien otra tela.

También necesitará
Entretela: una pieza 10 cm más grande, aproximadamente, que la capa superior en todos sus lados (recuerde, no obstante, que no la necesitará si utiliza una manta para la capa inferior).

Hilo de costura: hilo multiusos 100 % algodón en un color neutro.

Hilo de acolchar: en algodón 100 % y en el color que prefiera.

para el alma. El diseño se compone de bloques de 30 cm a base de tiras de tela. Se trata de una colcha estupenda para aprovechar prendas de vestir viejas o retales, pero si le apetece adquirir telas nuevas, qué mejor excusa para salir de compras. Si va a confeccionar la colcha (o las colchas) con sus amigos, todos pueden aportar sus telas para combinarlas.

Ensamblaje

La belleza de esta colcha radica en la completa falta de un patrón en cuanto a las telas utilizadas: resulta sorprendente cómo interactúan si se les «permite». Empiece reuniendo todas las telas de que dispone. Forme diferentes combinaciones hasta que encuentre las que más le gustan. No existe un número concreto de telas que pueda utilizar; dos o diez: usted decide.

Consejo para cortar prendas de ropa

Cuando emplee prendas de ropa para una colcha, empiece cortando todas las pretinas, cuellos, solapas y puños. A continuación, separe las piezas: primero las mangas; después la parte delantera y, por último, la trasera. Planche todas las piezas y tendrá lista una buena cantidad de tela para cortar.

Corte

Todos los márgenes de costura miden 1 cm. Corte la primera pieza de tela en cuadrados de 33 cm (encontrará más indicaciones sobre corte en la página 124).

A continuación, debe cortar cada cuadrado en tiras. La parte divertida es cómo lo hace. No es necesario que todas las tiras presenten la misma anchura; puede cortar también en ángulo para crear tiras irregulares con forma de cuña. Pruebe lo siguiente: corte una tira que pase de ancha a estrecha, otra que pase de estrecha a ancha, y una recta. A medida que trabaje, descubrirá un ritmo; la anchura exacta de cada tira no es importante, siempre y cuando mantenga los 33 cm de longitud.

Cuando haya cortado por completo una de las telas, reserve las tiras (sugiero que las guarde en un sobre etiquetado si va a cortar muchas telas distintas). Corte el resto de telas siguiendo la misma técnica.

Ya puede empezar a coser las tiras juntas.

Composición de los bloques

Elija las dos primeras tiras de tela; sujételas con alfileres y cósalas con los derechos juntos. Si va a unir dos piezas irregulares, asegúrese de coser el extremo ancho de una al extremo estrecho de la otra; de lo contrario, los bloques acabarán formando un círculo en lugar de un cuadrado. Continúe añadiendo tiras en el orden que prefiera hasta que el bloque mida, como mínimo, 33 cm de ancho.

No se preocupe si el bloque parece un poco descentrado. El margen extra de tela en el largo de las tiras significa que puede cortar el bloque final según el tamaño que desee. Planche todas las costuras de esta pieza y después córtela de manera que mida 32 × 32 cm. De este modo habrá completado el bloque 1.

Continúe cosiendo, planchando y recortando hasta contar con el número necesario de bloques. Para esta colcha necesitará 25.

Unión de los bloques

Distribuya los bloques en el orden que prefiera; cinco a lo largo y cinco hacia abajo para formar un cuadrado. Puede trabajar sobre una cama o en el suelo, o bien sujetarlos en una pared. Este paso es muy importante.

En la fila 1, coloque el primer bloque con las tiras en sentido vertical. Coloque el bloque adyacente con las tiras en sentido horizontal. Complete esta fila (un total de cinco bloques) alternando la vertical con la horizontal.

En la fila 2, coloque el primer bloque con las tiras en sentido horizontal y el siguiente en vertical. Continúe la fila alternando las dos colocaciones.

Proceda de este modo hasta haber colocado todos los bloques para la colcha.

Empezando en la fila 1, cosa los bloques con los derechos mirándose hasta completar una fila. Planche las costuras. Repita para todas las filas.

Empezando por la parte superior, sujete con alfileres y cosa las dos primeras filas juntas con los derechos mirándose. Asegúrese de que las costuras verticales coincidan. Repita el proceso hasta unir todas las filas. Planche las costuras y corte la tela sobrante, si es necesario.

Finalización de la colcha

Confeccione la capa inferior. Cosa las piezas de tela elegidas de manera que formen un cuadrado de, al menos, 170 × 170 cm o 10 cm más grande que la capa superior de la colcha acabada.

Forme el «sándwich» de la colcha siguiendo las instrucciones de la página 128. Nota: si decide utilizar una manta a modo de capa inferior, no tendrá que añadir entretela; solo será necesario que una las dos capas.

Acolche el «sándwich» a mano o a máquina. Las diferentes opciones se explican en la página 131. Yo opté por coser a máquina por las líneas de costura de cada bloque, ya que quería que la ejecución fuese rápida y sencilla. Además, el tamaño permitía acolchar fácilmente con una máquina de coser doméstica.

Corte los bordes de la colcha de manera que queden regulares. De este modo resultará mucho más sencillo ajustar el ribete. Confeccione y coloque el ribete (*véanse* págs. 132-133).

Tal vez la parte más satisfactoria del proceso se dé después de confeccionar la colcha, cuando la regale.

Tamaño final con ribete: 150 × 150 cm

Camino de mesa
«Porque necesitan alegría»

Al disfrutar de una comida, una merienda o una copa de vino en la mesa de la cocina surgen muchos recuerdos bonitos. Se explican historias, se comparten risas y lágrimas y se alivian las penas. Cuando atravesamos por momentos difíciles, resulta habitual compartir comida y bebida, elementos que nos unen.

La mesa de la cocina o del comedor es el corazón de cualquier casa, por lo que pensé que sería maravilloso hacer un regalo que celebrase ese protagonismo. Un camino de mesa puede estar presente cada vez que se disfrute de una comida especial, y formará parte de los recuerdos venideros. Podría acompañar el regalo con un pastel elaborado en casa, si tiene tiempo.

Este proyecto ofrece una maravillosa oportunidad de poner en práctica la creatividad y sirve también para adquirir experiencia antes de pasar a confeccionar una colcha de gran tamaño.

Antes de empezar, piense en los colores o los estampados que le gustan a la persona que recibirá el regalo y elija telas que reflejen esos gustos. Puede incorporar algo suyo al diseño o considerarlo una oportunidad para comprar alguna tela nueva como punto de partida. Lo más recomendable es que se limite a algodones o linos, ya que esta pieza tendrá que lavarse con cierta frecuencia.

Diseño

Para este camino de mesa me inspiré en las meriendas con té de mi infancia. En la Nueva Zelanda de la década de 1970, todo era sencillo y parecía estar bañado en un sol difuso. Mi madre elaboraba productos con el horno todos los días, y a mí me encantaba llegar a casa y encontrar una tarta de jengibre, *pikelets* o galletas Anzac. Eran unos tiempos que quise que este camino de mesa reflejase. Para ello mezclé lino *vintage* con telas estampadas de algodón de saco, un par de bonitos estampados Liberty y un ligero toque de ikat a fin de conseguir una combinación alegre. Para la capa inferior utilicé mi algodón *kantha* favorito, orgánico y tejido a mano, en color marfil.

Tamaño final
El camino de mesa acabado mide 40 × 200 cm, pero puede tener el largo que prefiera. De hecho, también puede confeccionar manteles individuales.

Camino de mesa
Para este tamaño utilicé, aproximadamente, 1,25 m de retales.

Capa inferior
Utilicé una banda de algodón de 42 × 202 cm.

También necesitará
Hilo de costura: algodón 100 % multiusos en un color neutro.

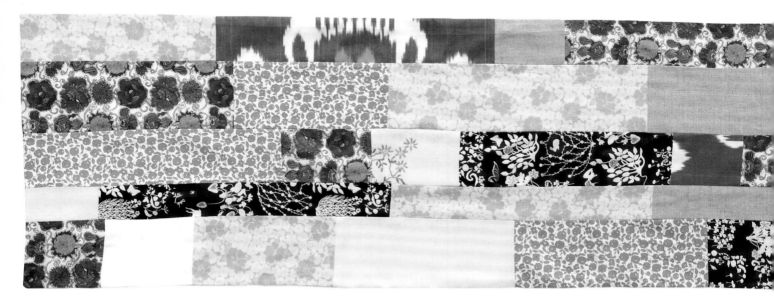

Ensamblaje

Este proyecto se basa en una técnica de tiras muy simple, y resulta increíblemente sencillo. Reúna las telas que va a emplear y piense cómo quiere combinarlas. ¿Qué colores y texturas desea yuxtaponer y qué ocurre cuando añade o retira determinadas piezas? Tómese su tiempo hasta encontrar una combinación que en verdad le satisfaga.

Corte

Empiece a cortar las piezas de tela. Como muestra el diagrama de la página siguiente, el camino de mesa contiene cuatro anchos distintos. Todos los márgenes de costura miden 1 cm y se incluyen en las medidas indicadas. Tome la primera tela y corte tiras con las cuatro anchuras hasta haber cortado toda la tela que desea utilizar. Aunque la longitud de cada pieza no importa, intente variarla de una pieza a otra.

Forme grupos de piezas para cada una de las cuatro anchuras y coloque las primeras telas en el grupo correspondiente. Continúe cortando todas las telas que desea utilizar sin dejar de variar los anchos y los largos.

Cuando lo haya cortado todo, «baraje» cada grupo de manera que se mezclen las telas (pero no los tamaños).

Unión de las tiras

Empiece con la tira 1: sujete con alfileres los extremos cortos de dos telas distintas y cósalos con los derechos mirándose. Continúe añadiendo piezas de ese grupo con la misma anchura para formar una tira larga y estrecha. Cuando alcance la longitud deseada (o un poco más), planche todas las costuras y reserve la tira.

Utilice la tira 1 a modo de referencia para coser del mismo modo las cuatro tiras restantes.

Sujete con alfileres la tira 1 y la tira 2, con los derechos juntos y los bordes superiores alineados. Cósalas y planche. Repita la operación con las tiras 3 a 5 hasta alcanzar el ancho final deseado.

Corte el borde inferior para dejarlo recto y lograr la longitud adecuada.

Acabado del camino de mesa

Corte una pieza de algodón o lino para la capa inferior que sea del mismo tamaño que la superior.

Sujete con alfileres las dos capas con los derechos juntos. Cosa los cuatro lados pero deje un hueco de 15-20 cm en uno de los lados largos para poder dar la vuelta al camino y dejarlo del derecho. Planche y corte el exceso de tela en las esquinas. Dé la vuelta a la pieza y asegúrese de que las esquinas quedan bien rectas; vuelva a planchar. Vuelva a darle la vuelta, planche los orillos de la abertura y ciérrela con puntadas invisibles.

Prepare un pastel o compre una quiche y tendrá todo lo necesario para unas risas compartidas en torno a una mesa.

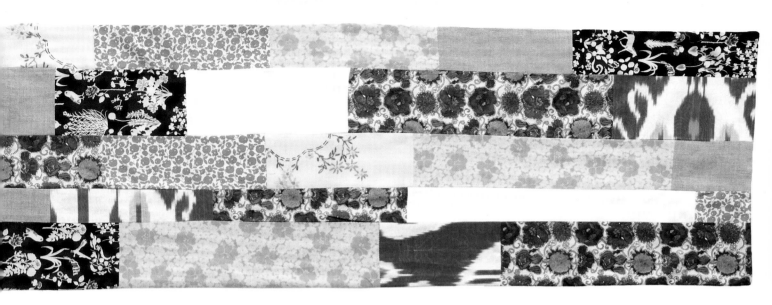

Tamaño final:
Anchura: 40 cm
Longitud: ajustable

tira 1	tira 2	tira 3	tira 4	tira 5
9 cm	12 cm	10 cm	7 cm	12 cm

Colcha
«Porque le gusta la tela»

Esta es la colcha ideal para cualquiera que tenga montones de retales repartidos por cajones o cajas, en el desván o en cualquier sitio.

En muchos casos, los retales no tienen el tamaño suficiente para crear con ellos grandes proyectos o bien resulta imposible aprovechar una tela que le gusta mucho y ni siquiera le llega para esas cortinas que nunca tiene tiempo de coser. También es probable que su familia se queje de que los retales están invadiendo su casa y no hace nada con ellos. No se sienta culpable: aquí tiene la oportunidad ideal para convertirlos en algo útil y bonito.

Si tiene una auténtica afición a coleccionar retales, ni siquiera se me pasa por la cabeza que no vaya a disponer de suficiente tela para esta colcha, pero si por alguna remota casualidad fuese así, invierta en algo realmente fantástico: solo necesita unas cuantas piezas destacadas grandes para que esta colcha hable por sí sola.

Diseño

Para este diseño me inspiré en mi amor por las telas de los quimonos japoneses. Este tipo de tela se teje únicamente con un ancho aproximado de 33 cm, y como no podía soportar la idea de cortar estos maravillosos y sofisticados estampados en trozos pequeños, empecé colocando esas piezas enteras. Continué añadiendo otras piezas al lado y debajo de la primera, probando con diferentes colocaciones, hasta que encontré una distribución que me gustó.

Esta colcha celebra las grandes obras y las declaraciones de intenciones valientes. Asegúrese de encontrar el equilibrio entre los estampados grandes, los medianos, los pequeños y los que yo llamo «no estampados» (piezas con textura o tejidas). De lo contrario, los preciosos estampados grandes chocarán en lugar de armonizar.

Esta colcha es muy llamativa y alegre, con mucho color rojo, naranja, rosa y verde menta. Al añadir seda de color marfil y algunos estampados

Tamaño final
La colcha acabada mide 210 × 210 cm, pero este diseño permite su confección en las medidas que desee.

Capa superior
Resulta complicado indicar unas cantidades exactas para este diseño, ya que depende por completo de los retales que tenga y del tamaño que desee para la colcha. Para la de este proyecto necesitará, aproximadamente, 5 m de tela.

Capa inferior
Necesitará unos 5 m de tela (dependerá del ancho). Puede confeccionarla con los retales de que dispone o con otras telas nuevas.

Ribete
Necesitará, aproximadamente, 0,5 m de tela. De nuevo, puede aprovechar los restos o bien otra tela.

También necesitará
Entretela: una pieza 10 cm mayor, aproximadamente, que la capa superior en todos sus lados.

Hilo de costura: hilo multiusos 100 % algodón en un color neutro.

Hilo de acolchar: en algodón 100 % y en el color que prefiera.

gráficos, los pájaros que alzan el vuelo y las esplendorosas flores no quedan ensombrecidos. La capa inferior de la colcha es de algodón orgánico; el ribete, de tafetán de seda.

Ensamblaje

Esta colcha se basa en el mismo principio que la que he bautizado como «Porque les quiere» (*véase* pág. 48): es decir, se construyen los bloques como para el resto de las colchas, pero sin un patrón predeterminado. Si prefiere planificar el diseño de un modo un poco más metódico, consulte la página 134, donde explico cómo diseñar su propio patrón.

Estilo libre

Distribuya todas las piezas de tela sobre una cama o en el suelo. Seleccione las telas que más destacan, aquellos estampados o colores que le alegran el día. Colóquelas más o menos donde pretende situarlas en el diseño y después piense en el resto de las telas que utilizará para equilibrarlas y complementarlas. Si algunas de las piezas no son lo bastante largas o anchas, no se preocupe: únalas en una tira con otras piezas. Observe la fotografía de la página siguiente y comprobará cómo encajan las telas. Mueva sus retales hasta que encuentre una distribución que realmente le guste.

Consejo para trabajar siguiendo un estilo libre

Para confeccionar una colcha grande con «estilo libre», resulta conveniente tomar una fotografía de la distribución de las telas: primero, como recordatorio visual, y segundo, por si acaso se mueven las piezas.

Acabado de la capa superior

Cuando haya decidido cómo va a ser la distribución, habrá llegado el momento de empezar a coser. Con márgenes de costura de 1 cm para todas las piezas, sujete con alfileres dos piezas juntas con los derechos mirándose y cóselas. Planche las costuras. Si una pieza es más larga o más ancha que la otra, tendrá que cortar el exceso de tela antes de unirla a la siguiente. Continúe cortando y uniendo las piezas.

Es posible que tenga que añadir o quitar piezas de la distribución original; tómese el tiempo que necesite. Tal vez le resulte más sencillo confeccionar tres o cuatro bloques grandes y después unirlos para formar la colcha. Recuerde que el principio de la construcción de bloques es exactamente el mismo, tanto si trabaja con un patrón preciso como si crea el suyo propio.

Cuando la colcha tenga el tamaño deseado, plánchela, corte el exceso de tela y asegúrese de que queda recta.

Finalización de la colcha

Confeccione la capa inferior. Cosa las piezas elegidas hasta tener un cuadrado al menos 10 cm más grande que la capa superior acabada (en este caso, 230 × 230 cm).

Prepare el «sándwich» para la colcha siguiendo las instrucciones de la página 128.

Acólchelo a mano o a máquina. Las diferentes opciones se explican en la página 131. Yo opté por el acolchado de brazo largo, ya que me gusta cómo se crea un patrón consistente en las diferentes telas.

Corte los bordes de la colcha de manera que queden regulares. De este modo resultará mucho más sencillo ajustar el ribete. Confeccione y coloque el ribete siguiendo las instrucciones de las páginas 132-133.

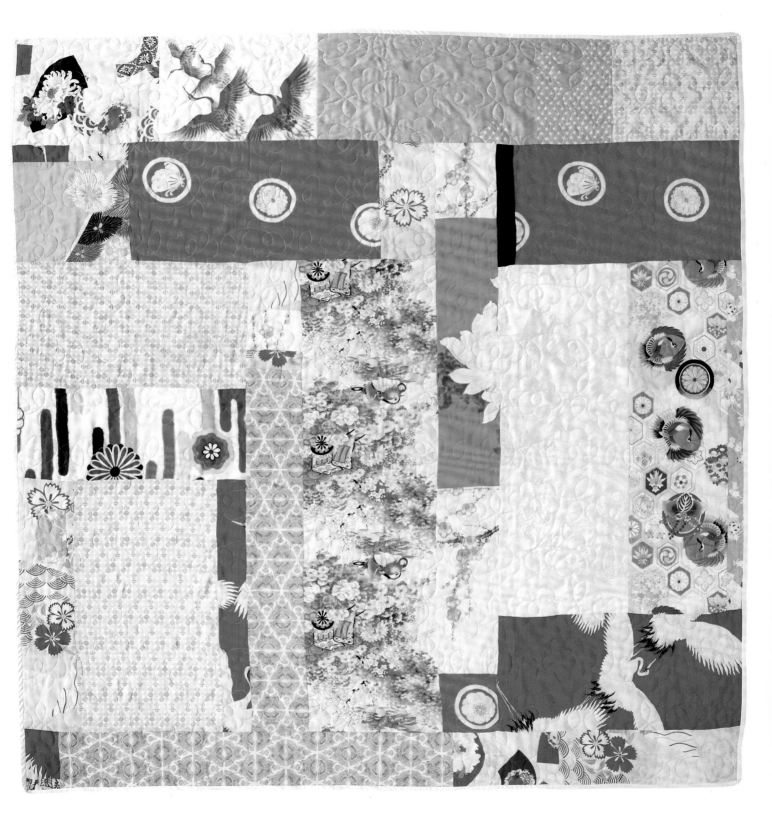

Amistad

¿Recuerda a su primer amigo o a su primera amiga? ¿Y lo sencillo que era, a los cinco años, abrazarle y decir «te quiero»? A medida que crecemos, conocemos a otras personas en la universidad y en el trabajo o gracias a nuestras aficiones, pero de adultos ya no nos resulta tan fácil abrazar a los demás.

Cada vez que descubrimos nuevos lugares, intereses y amores, conectamos con personas nuevas. No podemos saber con quién entablaremos amistad o a dónde puede llevarnos dicha amistad, que puede llegar a ser tan mágica como cuando éramos niños. Todos nos apoyamos en nuestros amigos, ya sea en fiestas, porque salimos juntos a correr o porque somos compañeros en el coro, y es fantástico celebrar la importancia de esta relación.

Tímido intento de brazalete de la amistad

Conocer gente cuando se es adulto puede resultar complicado. Cuando todos estamos tan ocupados, no es fácil compaginar la familia con los amigos de toda la vida, por no hablar de la familia y los amigos de la pareja. No obstante, en ocasiones ocurre que conocemos a alguien y pensamos: «Vaya, qué bien me cae». ¿Por qué no decir en esos casos que nos gustaría disfrutar de su amistad?

La idea del brazalete de la amistad no es nueva. Se trata de un recordatorio tangible de que alguien nos considera una persona importante. Me parece una idea estupenda crear estos brazaletes para los amigos especiales o los recientes, y este diseño sirve para personas de todas las edades. Confecciónelos en privado o con amigos, a ser posible acompañados de un pastel y un buen café o té.

Diseño

Para estos brazaletes recurrí a mis reservas de retales de seda, que me resulta imposible tirar, y me encantó confeccionar algo tan bonito con piezas tan pequeñas.

Calcule la longitud que debe tener el brazalete. Utilice otro brazalete a modo de guía o bien mídase la muñeca y añada 1-2 cm. A continuación decida el ancho. Los brazaletes de este proyecto miden 1 cm de ancho, pero puede incrementar esa medida, si lo desea.

Ensamblaje

Para empezar, corte una pieza de entretela (o de forro polar) con el largo y el ancho necesarios (*véase* «Diseño»).

Corte retales de seda 1,5 cm más anchos que la tira de entretela y cósalos a mano o a máquina, borde con borde y con los derechos juntos, hasta tener una pieza 2 cm más larga que la de entretela. Tres o cuatro telas distintas quedan preciosas. Yo normalmente coso a mano las tiras; resulta más sencillo y muy rápido.

Tamaño final

1 cm de ancho y la longitud suficiente para la muñeca de la persona que recibirá el brazalete, con 1 cm de superposición.

Necesitará

Retales de tela, mejor seda; o cualquier tejido.

1 pieza pequeña de entretela de unos 30 cm de longitud (guarde los recortes de sus colchas o utilice forro polar).

Hilo de bordar en el color o los colores que prefiera.

Botón a presión, uno para cada brazalete.

Hilo de costura: multiusos 100 % algodón en un color neutro.

Corte una pieza de tela de la misma longitud que la tira de retales. Será la cara interior del brazalete (el forro); por tanto, elija una tela que contraste o que se complemente con las de la cara exterior.

Finalización del brazalete

Planche las costuras de la tira de retales. Colóquela con el derecho hacia abajo y con la tira de entretela o forro centrada encima. Doble los extremos cortos de la tira de tela sobre la entretela o el forro y planche. A continuación, repita el proceso con los bordes largos.

Planche todos los bordes de la tira del forro para que queden del mismo tamaño que la de retales. Coloque esta pieza boca abajo sobre la entretela o el forro y sujete con alfileres las tres capas. Asegúrese de que las piezas de tela miden lo mismo y todos los bordes coinciden exactamente.

Elija un hilo de bordar en un color complementario y cosa los bordes para unir las tres piezas.

Con hilo de costura de algodón, cosa un botón a presión en los bordes del brazalete, con una de las piezas por dentro y la otra pieza por fuera. Y ya estará hecho.

Mantel para el café de la mañana

Una de las grandes tradiciones del acolchado es que casi siempre se trabajaba en compañía de amigas, familiares y vecinas. Se explicaban historias, se compartían recetas y se daban consejos, todo ello mientras se cosía. Aquellas mujeres creaban piezas prácticas y bonitas al mismo tiempo que disfrutaban de la conversación y la compañía.

Los momentos con los amigos siempre son muy especiales, con esas charlas ajenas a las necesidades y las responsabilidades de la vida cotidiana, aunque solo sea por unas pocas horas. ¿No sería maravilloso reunirse con ellos de manera habitual y crear juntos algo muy especial mientras se disfruta de la compañía? Un mantel acolchado moderno, por ejemplo. No se apresure por terminar esta pieza: cuanto más tiempo le lleve, más rato pasará con sus compañeros.

Diseño

Este diseño es un poco distinto al del resto de los proyectos del libro. Al pensar en un patrón basado en piezas pequeñas, quería crear algo que fuese fácil de coser a mano. Además, quería que las piezas fuesen lo suficientemente pequeñas para poder compartirlas, intercambiarlas y regalarlas a los amigos. De ese modo, no solo disfrutarán del tiempo compartido, sino que también recordarán esos momentos cada vez que vean el mantel.

En cuanto a la elección de la tela, todo empezó con algodones con estampado Liberty. Deseaba utilizar estampados pequeños pero impactantes, con colores sofisticados, y para ello creo que ninguno es mejor que el Liberty. También quería que el acolchado fuese dinámico y elegante, de modo que elegí una paleta cromática compuesta por rojo, marfil, mora y verde hierba.

Al emplear estampados pequeños en piezas reducidas, cada bloque adquiere un carácter casi gráfico cuando se ensambla, lo que aporta un aspecto moderno a unos estampados florales tradicionales. Además añadí un poco de algodón *kantha* liso en color crema y unas cuantas sedas con textura para definir las cruces. El toque lujoso lo confiere un sari antiguo de seda (en la capa inferior), al que descosí el ribete dorado para usarlo en el mantel.

Tamaño final
La pieza acabada mide 160 × 160 cm, pero puede modificar fácilmente las medidas y decidir cuántos bloques utiliza.

Capa superior
Necesitará unos 3,5 m de tela. Dado que se trabaja con piezas pequeñas, apenas quedarán restos. Probablemente este sea el único proyecto del libro para el que podría utilizar retales de 55,88 cm de ancho por 45,72 cm de largo (*fat quarters*), aunque en ese caso se perdería la diversión de salir a comprar telas nuevas. Esta es la pieza perfecta para aprovechar los retales pequeños y los recuerdos más queridos. Si la confecciona con amigos, lo ideal sería que todos aportasen e intercambiasen algunos retales de 0,5 m.

Capa inferior
Necesitará, aproximadamente, 3 m de tela, dependiendo del ancho del mantel. Puede aprovechar los restos de la capa superior o bien utilizar alguna tela nueva.

Ribete
Necesitará, aproximadamente, 0,5 m de tela. De nuevo, puede aprovechar los restos o bien utilizar otra tela.

También necesitará
Entretela: una pieza 10 cm mayor, aproximadamente, que la capa superior en todos sus lados.

Hilo de costura: hilo multiusos 100 % algodón en un color neutro.

Hilo de acolchar: en algodón 100 % y en el color que prefiera.

Ensamblaje

Este mantel se compone de 56 bloques: 16 rectángulos de 20 × 30 cm y 40 cuadrados de 20 × 20 cm. Todos los márgenes de costura miden 1 cm y se incluyen en las medidas indicadas en los diagramas de la página siguiente. Recuerde que puede cambiar el tamaño de este mantel añadiendo o eliminando bloques (*véase* diagrama, pág. 74).

En primer lugar, decida si va a utilizar las cruces «torcidas» (A y C), las simétricas (B y D) o una mezcla de ambas, que es lo que yo hice porque me gusta el modo en que las cruces irregulares conducen la vista por toda la pieza. Observe la fotografía de la página 75 y decida cuántas cruces de cada tipo desea emplear.

Para este mantel puede planificar la ubicación de cada bloque antes de empezar a confeccionarlos o bien preparar el número necesario de bloques y distribuirlos al final. No me gusta ofrecer una única opción, ya que sé que algunas personas prefieren planearlo todo al principio y otras no.

Si pretende planificar toda la pieza antes de empezar, calque o copie el diagrama de la página 74 y añada las cruces que piensa incluir. Utilice lápices de colores para definir las distintas telas si así le resulta más sencillo.

Corte

Comience con los bloques de 20 × 30 cm. Tiene que cortar las cruces «reales» primero (un total de 16).

Si utiliza el bloque A, corte las piezas 2, 4, 5 y 7 de una misma tela.

Si utiliza el bloque B, corte las piezas 2, 4 y 6 de una misma tela.

Cuando tenga listo un grupo, resérvelo para reunirlo todo en el momento de empezar a coser (atraviese las piezas con un alfiler para mantenerlas juntas si eso le facilita la tarea).

A continuación corte los rectángulos (necesita 16 grupos).

Si utiliza el bloque A, corte las piezas 1, 3, 6 y 8 de una misma tela.

Si utiliza el bloque B, corte las piezas 1, 3, 5 y 7 de una misma tela.

De nuevo, cuando tenga listo un grupo, resérvelo para reunirlo todo en el momento en que empiece a coser.

Corte los bloques de 20 × 20 cm del mismo modo y vaya reservándolos a medida que los corta.

Debe cortar en primer lugar 40 cruces.

Si utiliza el bloque C, corte las piezas 2, 4, 6 y 7 de la misma tela.

Si utiliza el bloque D, corte las piezas 2, 4 y 6 de la misma tela.

A continuación corte los cuadrados/rectángulos (necesitará 40 grupos).

Si utiliza el bloque C, corte las piezas 1, 3, 5 y 8 de la misma tela.

Si utiliza el bloque D, corte las piezas 1, 3, 5 y 7 de la misma tela.

Finalización de los bloques

Con los grupos de telas repartidos, elija qué tela para las cruces va a utilizar con qué conjunto de tela para los cuadrados o los rectángulos. Componga los bloques de uno en uno; sujete con alfileres las piezas con los derechos juntos y cósalas en el orden indicado en el diagrama correspondiente (es decir, cosa la pieza 1 a la 2, después incorpore la 3, y así sucesivamente). Planche las costuras a medida que avanza.

Unión de los bloques

Cuando tenga todos los bloques cosidos, deberá decidir dónde va a colocar cada uno. Si ya lo ha planificado, estupendo; de lo contrario, despeje el suelo o una cama para disponer los bloques y buscar un orden que le guste. Observe el diagrama de la página 74 para asegurarse de que cuenta con el número y el orden correctos de cada bloque en cada fila.

Cree una fila uniendo los extremos de los bloques de la primera fila; sujételos con alfileres y cósalos con los derechos juntos hasta completar la fila 1. Repita el proceso para las filas 2-8. Planche todas las costuras.

Sujete con alfileres las filas 1 y 2 con los derechos juntos; cosa y planche. Repita el proceso para las filas 3-8. Planche todas las costuras y tendrá lista la capa superior del mantel.

Finalización del mantel

Confeccione la capa inferior. Cosa las piezas elegidas hasta formar un cuadrado de, al menos, 180 × 180 cm, o 10 cm más grande que la capa superior acabada.

Prepare el «sándwich» siguiendo las instrucciones de la página 128.

Acolche el «sándwich» a mano o a máquina. Las diferentes opciones se explican en la página 131. Para este diseño decidí acolchar a mano con una sencilla puntada corrida a 5 mm de cada cruz y alrededor de cada bloque, pero me llevó bastante tiempo. Otra opción es coser en diagonal a intervalos o simplemente seguir el contorno de los bloques. Esta pieza es lo bastante pequeña como para poder acolcharla con una máquina de coser doméstica.

Recorte los bordes de manera que queden uniformes, lo que facilitará la colocación del ribete. Confeccione y coloque el ribete siguiendo las instrucciones de las páginas 132-133.

A

1. 17 × 10 cm	5. 6 × 16 cm	6. 13 × 12 cm
2. 17 × 6 cm		7. 13 × 6 cm
3. 13 × 10 cm	4. 6 × 10 cm	8. 17 × 8 cm

B

1. 15 × 10 cm	4. 6 × 22 cm	5. 15 × 10 cm
2. 15 × 6 cm		6. 15 × 6 cm
3. 15 × 10 cm		7. 15 × 10 cm

C

1. 12 × 10 cm	7. 6 × 16 cm	5. 8 × 12 cm
2. 12 × 6 cm		6. 8 × 6 cm
3. 8 × 10 cm	4. 6 × 10 cm	8. 12 × 8 cm

D

1. 10 × 10 cm	4. 6 × 22 cm	5. 10 × 10 cm
2. 10 × 6 cm		6. 10 × 6 cm
3. 10 × 10 cm		7. 10 × 10 cm

Tamaño final con ribete: 160 × 160 cm

1	A	D	B	D	C	D	C
2	D	C	D	B	C	D	B
3	A	D	B	D	C	D	C
4	C	D	C	A	D	B	D
5	A	D	C	A	C	D	D
6	C	D	C	D	B	D	B
7	A	C	D	A	C	C	D
8	D	C	D	B	D	D	A

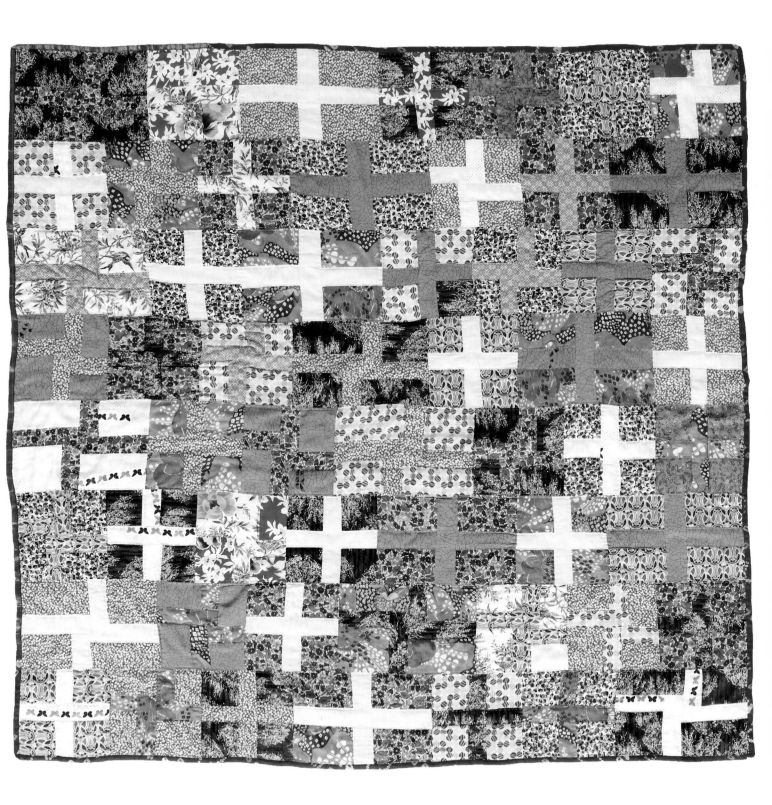

Bolso reversible

Un bolso reversible siempre resulta útil: para ir a la compra, llevar todo lo necesario para el bebé o ir de *picnic* o a la playa. Este bolso es extremadamente sencillo de confeccionar y un maravilloso regalo para otra persona o para una misma. Puede reunir a un grupo de amigas para que cada una cree su propio bolso en una tarde o hacer unos cuantos para regalar en Navidad o en algún cumpleaños.

Diseño

Este bolso es de gran tamaño, perfecto para ir a la compra, llevar los accesorios del bebé o para la playa. El interior es de una sola tela y el exterior de tiras de tela, y puede hacerlo tan contrastante o tan sencillo como desee. El diseño es reversible, pero no se confunda cuando siga las instrucciones: la parte del patchwork es la exterior.

Quería que el bolso tuviese un aire urbano y moderno, con un toque étnico, y que se viese bonito. Llevaba un tiempo intentando encontrar el modo de utilizar una tela africana de Mali para alguno de los proyectos de este libro, pero la textura y el estampado resultaban demasiado pesados para las colchas. Y resultó ser perfecta para el bolso. Debe buscar telas resistentes: las de lana, lona o tapicería son ideales. No caiga en la tentación de emplear algodón para un bolso de este tamaño; podría ser un desastre. El resto de las tiras son de lona de color marfil y cachemir negro. El interior es de lino belga lavado. Suena estupendo, ¿verdad?

Ensamblaje

Comience por reunir las telas que va a utilizar y asegúrese de que la mezcla de colores y texturas es de su agrado.

Confección de las asas

Con una cinta métrica calcule la longitud que desea dar a las asas. Corte cuatro tiras (*véase* «Asas», columna derecha) de tela. Dóblelas hacia dentro y planche 1 cm siguiendo los bordes largos de cada pieza. Sujete con alfileres dos piezas con los reveses juntos y los bordes doblados alineados. Cósalas por los dos lados con puntada vista.

Tamaño final
Altura, 38 cm; anchura, 48 cm; profundidad, 16 cm.

Exterior del bolso
Necesitará 16 tiras de tela de 10 × 46 cm cada una. Puede utilizar todas las telas que desee.

Interior del bolso
Necesitará dos piezas de tela de 64 × 46 cm cada una.

Asas
Necesitará 4 tiras de tela de 6 cm de ancho y 45-60 cm de largo. La longitud de las asas queda a su elección en función de su altura y de si desea llevar el bolso en la mano o colgado. Añada 10 cm a la medida de las asas; se coserán por dentro del bolso a modo de refuerzo.

También necesitará
Hilo de costura: multiusos en algodón 100 % y en un color neutro.

Hilo de bordar, cuerda de lino o lana en el color que prefiera.

Aguja de bordar o zurcir.

Exterior del bolso

Piense en la combinación de telas que desea emplear. Puede cambiar la dinámica del bolso con solo situar juntas unas determinadas telas.

Con los derechos juntos, sujete con alfileres ocho tiras por lado del bolso y cósalas; deje un margen de costura de 1 cm por tira. Planche las costuras. A continuación, con los derechos juntos, sujete con alfileres los dos lados del bolso siguiendo los lados cortos y uno largo (será el fondo del bolso) y cósalos.

Interior del bolso

Con los derechos juntos, sujete con alfileres las dos piezas del forro siguiendo los dos lados cortos y uno largo. Cósalos dejando un hueco de 15 cm en la costura larga para poder dar después la vuelta al bolso. Planche las costuras.

Esquinas

Mida 18 cm hacia dentro desde cada lado y marque la posición de las asas en los bordes superiores de las dos caras del bolso. Pince las esquinas inferiores para formar un triángulo de 16 cm a lo ancho. Cosa a lo ancho de ese punto en las cuatro esquinas (dos para el exterior y dos para el interior del bolso). Así se obtiene la forma del bolso. Planche a medida que avanza, ya que de ese modo se irán definiendo los bordes.

Finalización del bolso

Introduzca el interior del bolso en el exterior con los derechos mirándose. Coloque las tiras y sujételas con alfileres entre los derechos de la tela. Asegúrese de que unos 5 cm de los extremos de cada tira sobresalgan de los orillos del bolso para evitar el riesgo de que se queden atrapadas dentro de la costura. Cosa todo el borde del bolso. A continuación, dele la vuelta a través del hueco que ha dejado en la costura del interior del bolso. Doble los orillos de la abertura y cósalos a mano para cerrarla. Planche todas las costuras una última vez y distribuya bien el interior dentro del exterior del bolso.

El bolso está listo, aunque puede añadir algunas puntadas decorativas para acabarlo y para reforzar las asas.

Puntadas decorativas

Con aguja de bordar y el hilo elegido, cosa puntadas corridas largas o de cruz en el exterior del bolso, las asas y el interior. Yo además cosí a mano la base del bolso y el lugar donde se unen las puntas del triángulo (*véase* inferior). Unas puntadas corridas siguiendo cada una de las tiras de patchwork quedan preciosas, igual que unas costuras que sigan los contornos de los estampados, pero es libre de decidir cómo desea adornar el bolso.

18 cm   18 cm

Interior del bolso:
cortar 2
64 × 46 cm

Tiras para el exterior: cortar 16
10 × 46 cm

Tiras para las asas: cortar 4
6 × 45–60 cm

Cojín para un nuevo hogar

Cuando un amigo o un familiar se muda a una nueva casa, siempre está bien regalarle algo hecho a mano que refleje su relación o su historia compartida. Cambiar de casa resulta estresante, tanto desde el punto de vista económico como del emocional. Un regalo hecho desde el corazón resultará increíblemente especial y será recordado durante muchos años. Puede utilizar telas por completo nuevas, retales especiales, prendas de ropa recicladas o cualquier otra tela.

Confeccionar una colcha puede ser complicado, pero un cojín de patchwork es algo asequible y proporciona una gran oportunidad para poner en práctica la innata creatividad. Además, supone una ocasión perfecta para practicar antes de embarcarse en un proyecto más complejo y ambicioso.

Diseño

Este diseño se basa en el de la cabaña de troncos, pero con un giro moderno. Este estilo de patchwork ayuda a trabajar los fundamentos de los bloques y a desarrollar la intuición con los colores y los estampados.

Piense en los colores o los estampados que le gustan a la persona que va a recibir el regalo y elija las telas en función de esa información. También puede incorporar alguna pieza de esa persona o utilizar algo nuevo como punto de partida.

Para estos cojines rebusqué en mis cajones de telas y aproveché restos de otros proyectos, piezas preciosas que no podía tirar pero que eran demasiado pequeñas para cualquier otra manualidad. Aunque el diseño es el mismo, cada cojín ofrece un aspecto por completo distinto, pero todos son preciosos.

Ensamblaje

En primer lugar, reúna la tela que va a utilizar. Es mejor emplear telas de pesos similares, como algodón de una camisa con una funda de almohada antigua. Si desea añadir seda o un tejido de punto, hágalo, pero recuerde que será un poco más complicado unir las piezas, ya que los tejidos de punto y las telas resbaladizas resultan más difíciles de trabajar. Piense cómo desea que interactúen las telas, cuál será el centro, qué pieza despertará más

Tamaño final

Hay dos opciones: 40 × 40 cm, un tamaño perfecto para una silla o como pieza destacada, y 50 × 50 cm, ideal para un sofá o una cama.

Funda del cojín

Para la parte delantera necesitará, aproximadamente, 75 cm de retales. Para la parte posterior precisará entre 50 y 60 cm, dependiendo del tamaño del cojín.

También necesitará

Relleno: existen rellenos ya listos y baratos. Los mejores son de plumas, pero puede utilizar los que desee.

Hilo de costura: multiusos en algodón 100 % y en un color neutro.

recuerdos, qué colores quiere combinar. Observe qué ocurre cuando incorpora o retira determinadas telas: un solo cambio puede alterar por completo el aspecto del cojín. Tómese su tiempo hasta encontrar una selección que le satisfaga del todo.

Corte

Después de meditar la colocación de las piezas, empiece a cortar siguiendo el diagrama inferior. Comience con la pieza número 1 y trabaje hacia fuera, hacia la pieza número 2, y así sucesivamente.

Disponga las piezas en la configuración correcta a medida que las corta para ver cómo se va formando el patrón. Escriba el número detrás de cada una con un lápiz; si tiene que interrumpir el trabajo o no tiene tiempo para acabar el patchwork en una sola sesión, todo quedará listo para retomar la tarea cuando pueda.

Unión de las piezas

Como antes, comience con la pieza número 1. Con los derechos juntos, sujete con alfileres y cosa la número 1 a la número 2, y esta a la número 3, y así sucesivamente. Trabaje desde el centro hacia fuera. Planche las costuras a medida que avanza.

Cuando termine la confección de la parte delantera del cojín, plánchela entera. Recorte e iguale los bordes con cuidado de no excederse.

Parte trasera del cojín

Elija la tela para la parte trasera. Puede ser una pieza completa o bien restos de la delantera cosidos.

Planche la tela y dispóngala sobre la superficie de trabajo con el derecho hacia arriba. Asegúrese de que está completamente lisa y coloque encima la parte delantera de la funda con el derecho hacia abajo. Sujete las dos capas con alfileres en los cuatro bordes y corte el exceso de tela de la parte trasera, si es necesario.

Cosa tres lados de la funda y, a continuación, cosa 5 cm hacia dentro desde ambos extremos del cuarto lado. Planche y recorte las esquinas. Dé la vuelta a la funda y planche los bordes una vez más.

Introduzca el relleno del cojín. Doble 1 cm de margen de costura de la abertura, sujete con alfileres y ciérrela con puntada invisible.

Envuelva el cojín para regalo, ponga el champán a enfriar y visite a la persona destinataria de su obsequio en su nuevo hogar para celebrarlo.

Para un cojín de 40 × 40 cm, corte solo las piezas 1-9.

Para un cojín de 50 × 50 cm, corte las piezas 1-13.

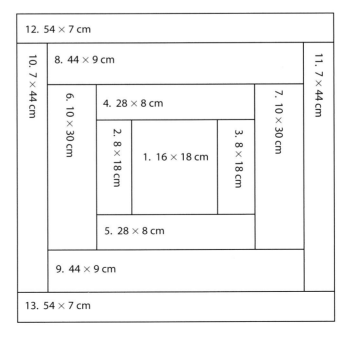

Relax en un puf

Este es un proyecto divertido y fácil de crear, y una gran oportunidad de utilizar retales de telas para tapizar o más gruesas, como lana o terciopelo. Se puede confeccionar perfectamente en una tarde, y le vendrá muy bien para una fiesta o una reunión, cuando necesite más asientos. Además, es un regalo estupendo porque constituirá una pieza única, personal y muy útil.

Dependiendo de la tela que emplee, este puf puede ir destinado a niños, adolescentes o adultos. Puede confeccionar un par para las habitaciones de los pequeños con tela de corteza floral *vintage*, o algo más contemporáneo con mantas de Gales antiguas para el salón.

Diseño

Para este puf quería utilizar una pieza especial de tela floral de tapicería de la década de 1930. Los colores eran tan alegres que pensé que sería ideal para la habitación de uno de los niños. También tenía un viejo acolchado *kantha* indio que estaba roto en algunos puntos (demasiados para arreglarlo), de modo que lo corté en piezas. Si no lo hubiese hecho, todavía estaría en un cajón y nunca hubiese vuelto a ver la luz del día. Para completar la selección añadí algunos algodones resistentes con estampados xilográficos.

Ensamblaje

Reúna las telas que desea utilizar e imagine cómo interactuarán. ¿Qué colores y estampados desea ubicar juntos? Alinéelos para ver el aspecto final.

Corte

Dibuje los patrones en papel siguiendo los diagramas de la página 86. Corte los patrones y pegue los dos paneles largos por el lado A, alineando las líneas de xxxxx. Todos los márgenes de costura miden 1 cm y se incluyen en las medidas indicadas.

Con la ayuda de los patrones de papel, corte 16 paneles largos y 2 piezas para el panel superior. Asegúrese de transferir también los puntos y las cruces.

Nota: si la tela no es lo suficientemente larga, puede utilizar las piezas del patrón de forma individual y coser las telas en la costura marcada con xxxxx dejando un margen de costura de 1 cm para conseguir la longitud necesaria.

Tamaño final
Altura, 32 cm; diámetro, 66 cm.

Funda para el puf
Para este proyecto conviene utilizar telas para tapizar, que son más pesadas, ya que los algodones se romperán si el puf se emplea mucho. Necesitará, aproximadamente, 2-2,5 m de tela, dependiendo del ancho. La tela para tapizar y la de lana suelen ser más anchas que las telas para prendas de vestir. Si usa muchas piezas distintas, asegúrese de que midan, al menos, 50 cm de largo.

También necesitará
Relleno. Existen varias opciones: retales, plumas, poliéster o un puf relleno de bolitas. Cada material tiene ventajas e inconvenientes. Necesitará muchas plumas o retales para rellenar un puf, pero es posible que tenga muchos restos de telas a los que necesite dar salida. En estos dos casos, el puf quedará bastante pesado; por tanto, el poliéster o el relleno de bolitas serán mejores opciones si el puf es para niños, porque así podrán moverlo sin ayuda.

Hilo de costura: multiusos 100 % algodón en un color neutro.

Seda de bordar en el color que prefiera.

Papel para dibujar el patrón.

Coser las piezas

Con los derechos mirándose, sujete con alfileres dos de los paneles largos por el lado B y cósalos. Repita el proceso hasta contar con ocho piezas. Planche las costuras abiertas (una plancha de vapor dará mejores resultados en las telas más pesadas).

Tome dos de los ocho paneles y sujételos con alfileres por los lados C y D con los derechos juntos. Cósalos y asegúrese de girar en cada punto. Planche las costuras abiertas; asegúrese de llegar hasta las esquinas para que queden bien definidas.

Repita estos pasos con los otros dos paneles y junte estas dos secciones. Ya tiene la mitad de la funda para el puf.

Repita este proceso con los otros cuatro paneles y tendrá dos mitades.

Sujete con alfileres las dos mitades, con los derechos juntos, pero deje un hueco de 30 cm, aproximadamente, en uno de los bordes. Por aquí rellenará el puf. Cosa las dos mitades y no olvide girar en los puntos. Planche las últimas costuras.

Finalización del puf

Dé la vuelta a la funda y rellene el puf con el material elegido hasta conseguir la firmeza deseada. Sujete con alfileres la abertura, con los orillos doblados hacia dentro, y con aguja e hilo ciérrela con puntadas invisibles.

Doble y planche los bordes de los paneles superiores (1 cm del revés) de manera que quede un hexágono más pequeño y sin orillos visibles.

Tome un panel hexagonal y sujételo con alfileres, con el revés hacia abajo, al centro del puf (donde se unen todas las costuras). Alinee los bordes con las líneas de cada sección. Cosa el panel superior al puf con el hilo de bordar. Yo utilicé una sencilla puntada invisible, pero puede coser también con puntada de festón o con cualquier otra puntada decorativa.

Repita este paso para la parte inferior del puf, y habrá acabado.

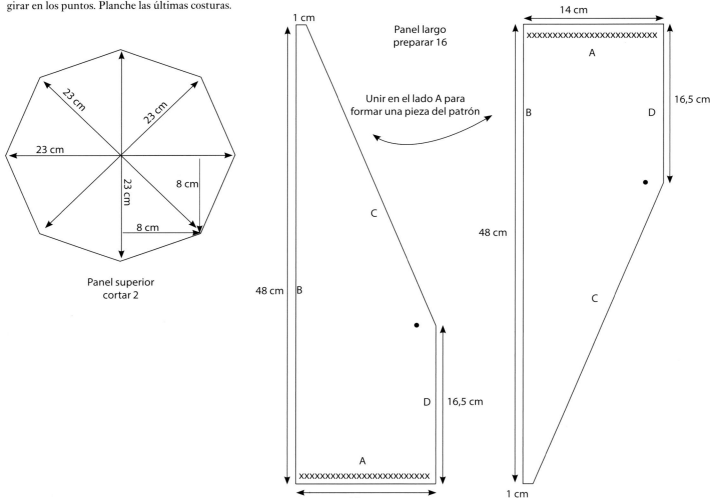

Panel superior
cortar 2

Panel largo
preparar 16

Unir en el lado A para
formar una pieza del patrón

Colcha de *picnic* «Todos juntos»

Un *picnic* siempre resulta agradable. Es sinónimo de días de verano y de paisajes espectaculares. Y probablemente también de buena comida y vino, de barbacoas y, sin duda, de una variedad de fantásticos manjares preparados para la ocasión. Y, por supuesto, es sinónimo de reunión, de familiares y amigos que se juntan para celebrar algo o simplemente para disfrutar del sol del verano. Habrá niños corriendo y jugando, se inventarán juegos y diferentes generaciones compartirán historias, música y risas. Días felices como estos no abundan y se recuerdan siempre.

Una colcha puede servir para unirlos a todos: en ella se pueden sentar, tumbar y estirar las piernas. Será como una especie de guardiana de los recuerdos estivales y servirá también para poner la comida o acostar a un bebé. Al final de la jornada, sacúdala, dóblela y guárdela: en su interior llevará la felicidad de la ocasión.

Diseño

Una colcha para *picnic* tiene que ser resistente y soportar la actividad de perros y niños, por no mencionar los cambios climáticos repentinos. Además debe ser bonita y aguantar bien el paso del tiempo. Ha de presentar un diseño grande y vistoso, pero también sencillo de confeccionar.

Este diseño, que en esencia se compone de seis bloques grandes, está a medio camino entre un mapa de carreteras y una mesa puesta. Pensé que a los niños les divertiría como superficie de juegos y también proporcionaría ideas para disponer la comida. O, simplemente, podría servir para estar sentado.

En mi opinión, solo había una opción en cuanto a la tela que iba bien para esta colcha: algodones de Gambia. Toda la tela está teñida a mano y presenta una combinación de puntadas y estampación a la cera que crea una resistencia antes de teñir a mano con nuez de cola e índigo. Estos sencillos diseños gráficos poseen un fantástico aire naif que me encanta. Los marrones oscuros y los índigos quedan maravillosos entre la hierba, la tierra y las hojas caídas.

Dado que esas telas son muy vistosas, utilicé una lona de algodón como contraste acusado para los bordes, así como para la capa inferior y el ribete.

Tamaño final
La colcha acabada mide 210 × 210 cm, de manera que tiene suficiente capacidad para acoger a varias personas, comida y juegos.

Capa superior
Para esta colcha recomiendo utilizar únicamente algodón, y hay que asegurarse de lavar y planchar todo el material tres veces antes de empezar a coser. Necesitará un mínimo de 2,2 m de tela para los bordes y unos 3 m para los centros individuales. Ha de decidir cuántas telas distintas utiliza para esos centros, ya que la tela para los bordes sirve para mantener cohesionado el diseño. Tal vez tenga una colección de manteles antiguos, que combinarían muy bien, o telas florales todavía más antiguas, que quedarían preciosas. Elija la tela para el borde al final, una tela que dé cohesión a los centros.

Capa inferior
Necesitará, aproximadamente, 4,5 m de tela, lo que dependerá del ancho de la misma. Asegúrese de que sea un material que no le importe poner en el suelo (una manta vieja sería ideal, pues así se evitará el uso de entretela; un denim o un algodón encerado también serían perfectos).

Ribete
Necesitará, aproximadamente, 0,5 m de tela. Puede utilizar restos o bien otro material distinto.

También necesitará
Entretela: una pieza aproximadamente 10 cm más grande que la capa superior en todos sus lados. Si utiliza una manta para la capa inferior, prescinda de la entretela.

Hilo de costura: hilo multiusos 100 % algodón en un color neutro.

Hilo de acolchar: en algodón 100 % y en el color que prefiera.

La lona es resistente y lavable a máquina. Con las telas de Gambia prelavadas, esta colcha resistirá muchos *picnics*.

Ensamblaje

La colcha se compone de seis bloques grandes más los bordes, y resulta increíblemente sencilla de confeccionar.

Preparación de la tela para los bordes

Comience con la tela para los bordes. La manera rápida consiste en cortar o rasgar tiras de 12 cm a lo largo de la tela. La pieza más larga que necesitará mide 212 cm; asegúrese de que su tela tenga esa medida como mínimo. Reserve cinco tiras para los bordes exteriores y centrales. Planche el resto y colóquelas en un montón.

Si lo prefiere, puede cortar las tiras con las longitudes especificadas en el diagrama de la página 92 en lugar de coser tiras largas y cortar el sobrante. Le llevará más tiempo, pero la decisión es suya. Todos los márgenes de costura miden 1 cm y se incluyen en las medidas indicadas.

Preparación de los centros

A continuación debe decidir qué telas va a utilizar para los centros y dónde las va a colocar. Lo más sencillo es calcar el diagrama de la página 92 y señalar dónde va a ir cada tela. Si dispone de retales pequeños, distribúyalos en primer lugar. Cuando tenga una composición que le guste, podrá cortar todas las piezas.

Corte las piezas bloque a bloque y apílelas con la número 1 encima (marque el número con lápiz en el revés de cada retal). Debería acabar con seis pilas distintas más una pila de tela para los bordes.

Composición de los bloques

Empiece por ensamblar los bloques. Comience por el bloque A y utilice el diagrama de la página 92 a modo de guía. Con los derechos juntos, sujete con alfileres y cosa AC1 a una tira larga de tela para el borde (AB1). A continuación, corte el exceso de tela para el borde. Planche las costuras. Siga empleando la misma tira para el borde hasta que no quede tela para encajar una pieza central; reserve y tome una nueva tira.

Con los derechos juntos, como antes, sujete con alfileres y cosa AC2 a la tira de tela para el borde (AB2). Corte el exceso de tela para el borde. Sujete con alfileres y cosa AC3 al otro lado de esta pieza.

Planche las costuras. Junte este bloque con el primero y planche.

Sujete con alfileres y cosa AC4 a una tira de tela para el borde (AB3). Corte el exceso, planche las costuras y junte con el bloque anterior. Planche de nuevo las costuras.

Para acabar el bloque A, sujete con alfileres y cosa una tira de tela para el borde (AB4) a lo ancho de la parte inferior del bloque. Corte el exceso de tela y planche.

Ya tiene su primer bloque. Repita este proceso con los cinco bloques restantes (B-F).

Unión de los bloques

Cuando tenga listos los seis bloques, el siguiente paso consistirá en unirlos. Con los derechos juntos, sujete con alfileres el bloque A al bloque B y cósalos. Añada el bloque C. Sujete con alfileres y cosa el bloque E al F. A continuación, añada el bloque D. Planche todas las costuras.

Tome una de las cinco tiras reservadas para los bordes y utilícela como pieza central GB1. Con los derechos juntos, sujete con alfileres y cósala al bloque A/B/C. A continuación, sujete con alfileres y cosa el otro borde al bloque D/E/F. Corte el exceso de GB1 y planche todas las costuras.

Añada las cuatro tiras para los bordes exteriores (GB2, GB3, GB4 y GB5) siguiendo el diagrama. Planche las costuras y corte el exceso de tela a medida que avanza. La capa superior de la colcha estará lista.

Finalización de la colcha

Prepare la capa inferior. Cosa juntas las piezas elegidas hasta formar un cuadrado de, al menos, 230 × 230 cm.

A continuación confeccione el «sándwich» siguiendo las instrucciones de la página 128. Nota: si decide utilizar una manta a modo de capa inferior, no necesitará entretela. Solo tendrá que unir la capa superior a la manta.

Acolche el sándwich a máquina o a mano. Las diferentes opciones se explican en la página 131. Yo acolché esta pieza a mano cosiendo a 5 mm de la línea de costura de cada cuadrado con una sencilla puntada corrida.

Corte los bordes de manera que queden uniformes. De este modo es más fácil la colocación del ribete. Confeccione y coloque el ribete siguiendo las instrucciones de las páginas 132-133.

Consulte el tiempo, planifique el *picnic* y convoque a su familia y sus amigos, y que empiece la diversión.

Tamaño final con ribete: 210 × 210 cm

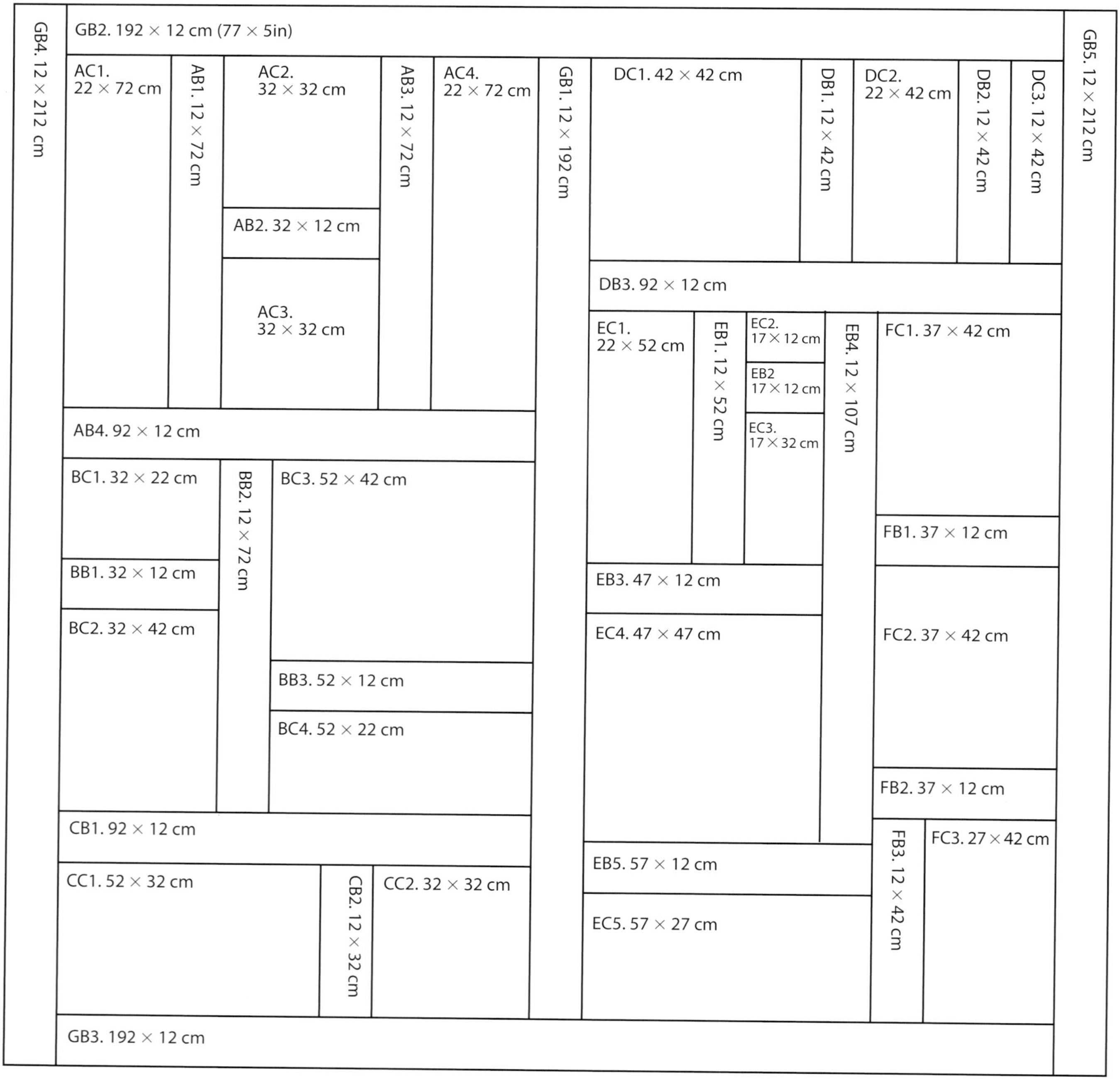

GB4. 12 × 212 cm

GB2. 192 × 12 cm (77 × 5in)

GB5. 12 × 212 cm

AC1. 22 × 72 cm

AB1. 12 × 72 cm

AC2. 32 × 32 cm

AB3. 12 × 72 cm

AC4. 22 × 72 cm

GB1. 12 × 192 cm

DC1. 42 × 42 cm

DB1. 12 × 42 cm

DC2. 22 × 42 cm

DB2. 12 × 42 cm

DC3. 12 × 42 cm

AB2. 32 × 12 cm

AC3. 32 × 32 cm

DB3. 92 × 12 cm

AB4. 92 × 12 cm

EC1. 22 × 52 cm

EB1. 12 × 52 cm

EC2. 17 × 12 cm

EB2 17 × 12 cm

EC3. 17 × 32 cm

EB4. 12 × 107 cm

FC1. 37 × 42 cm

BC1. 32 × 22 cm

BB2. 12 × 72 cm

BC3. 52 × 42 cm

FB1. 37 × 12 cm

BB1. 32 × 12 cm

BC2. 32 × 42 cm

EB3. 47 × 12 cm

EC4. 47 × 47 cm

FC2. 37 × 42 cm

BB3. 52 × 12 cm

BC4. 52 × 22 cm

FB2. 37 × 12 cm

CB1. 92 × 12 cm

CC1. 52 × 32 cm

CB2. 12 × 32 cm

CC2. 32 × 32 cm

EB5. 57 × 12 cm

EC5. 57 × 27 cm

FB3. 12 × 42 cm

FC3. 27 × 42 cm

GB3. 192 × 12 cm

Recuerdos

Todos los recuerdos, felices o tristes, son profundamente personales. Existen lugares y experiencias que nos conmueven y se quedan con nosotros para siempre. Coleccionamos objetos especiales, tal vez sin un uso práctico pero con un enorme significado para nosotros: un retal de encaje, un vestido de nuestra infancia o un pañuelo con el poder de despertar intensas emociones. Y hay algunas personas que permanecen con nosotros o que se han ido para siempre. Personas que han desempeñado papeles decisivos en nuestras vidas y otras cuyo paso ha sido más insignificante. El hilo que une todos esos recuerdos puede hacernos retroceder unos años en un segundo. ¿Por qué no ir también hacia delante? ¿Por qué no reunirlos a todos en el futuro?

Colcha «Celebración de una vida vivida al máximo»

El poeta Robert Frost escribió sobre el hecho de elegir el camino menos transitado, de hacer el propio camino en la vida. Leí ese poema cuando tenía quince años y desde entonces me acompaña en mi viaje. He tomado algunas decisiones buenas y otras que no lo son tanto, pero espero que cuando llegue al final de mi vida pueda contemplar mi viaje, lleno de curvas y de momentos difíciles, y sentirme bastante orgullosa del camino escogido.

Esta colcha trata sobre la vida, el camino y las paradas importantes que hacemos a lo largo del mismo. Algunas nos cambian la vida más que otras, pero muchas merecen nuestro reconocimiento. Se trata de una colcha que puede confeccionar en unas horas o en varios años. Y también puede ser para alguien a quien quiere, una persona que haya vivido una vida digna de admiración.

Diseño

Esta colcha se compone de tres partes: la carretera y los caminos; las paradas (bloques), por último, y el entorno, que lo mantiene todo cohesionado. La carretera que recorre la colcha está un poco descentrada, como debe ser. Los caminos se encuentran a diferentes distancias y las paradas tienen distintos tamaños. Como la vida misma, ¿verdad?

Aunque parece complicada, le prometo que no es así: se confecciona con los mismos principios que la mayoría de las colchas, con bloques unidos. La parte más difícil es la que reside en elegir las telas, ya que probablemente esta sea la colcha más personal que creará.

Poco antes de confeccionar esta colcha teñí una remesa de terciopelo de seda con tintes naturales, que se convirtió en la base de la paleta cromática. Al sumergir el terciopelo de forma continua en el mismo recipiente de tinte, el resultado abarcó desde el rosa muy claro hasta un morado oscuro e intenso. Precioso. Añadí todo tipo de sedas de muchos colores (calabaza, púrpura ahumado, plateado), y surgió una historia.

Para la capa inferior utilicé una mezcla de lanas finas de tonos rosa oscuro, marfil y gris/verde. Por último, ribeteé la colcha con restos de la capa superior a fin de que el ribete no chocase con el diseño principal.

Tamaño final
La colcha acabada mide 210 × 210 cm.

Capa superior
Necesitará, aproximadamente, 6 m de tela con una mezcla de piezas grandes y pequeñas. Las grandes (unos 4 m) serán para la tela de fondo. Precisará también una tira de 220 cm, como mínimo, para la carretera principal. Además, puede utilizar piezas más pequeñas para los retazos individuales, y tendrá la oportunidad perfecta para emplear retales muy especiales.

Capa inferior
Necesitará alrededor de 5 m de tela. Puede aprovechar restos de la capa superior o bien otra tela nueva.

Ribete
Necesitará, aproximadamente, 0,5 m de tela. De nuevo, puede utilizar restos o bien otra tela.

También necesitará
Entretela: una pieza 10 cm más grande, aproximadamente, que la capa superior en todos sus lados.

Hilo de costura: hilo multiusos 100 % algodón en un color neutro.

Hilo de acolchar: en algodón 100 % y en el color que prefiera.

Consejo para coser seda y terciopelo
Si emplea sedas o terciopelos para esta colcha, asegúrese de trabajar con un prensatelas móvil y una aguja fina en la máquina de coser.

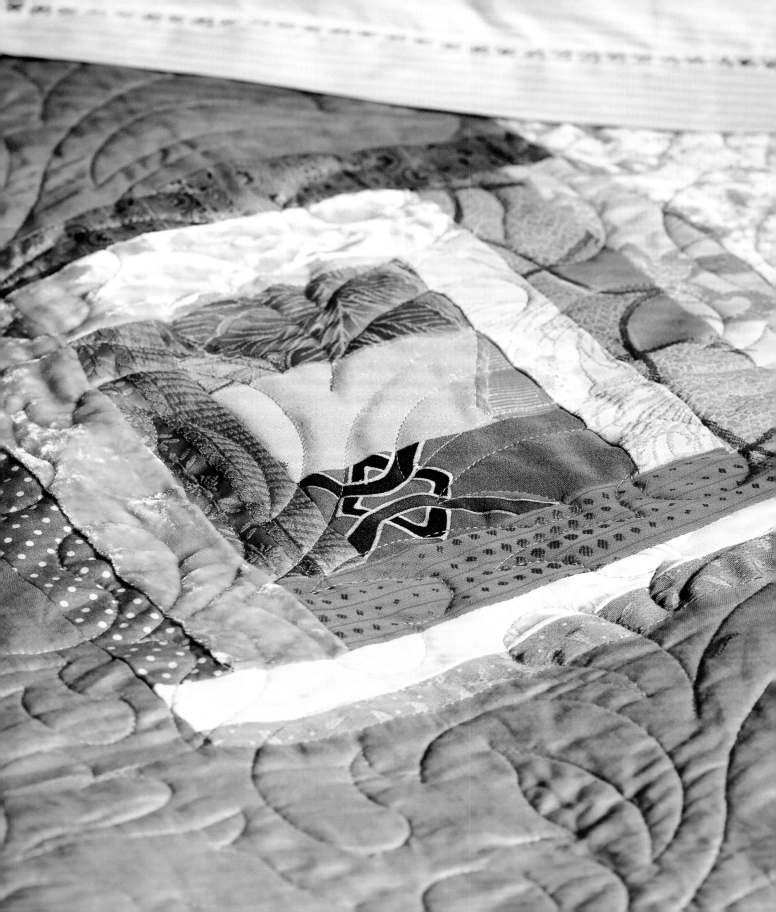

Ensamblaje

Empiece planificando las telas: decida cuáles va a utilizar para las piezas de apoyo y dónde. Yo usé una mezcla de cuatro telas distintas, pero puede emplear una sola para que los retazos, los caminos y la carretera destaquen todavía más. A continuación, piense en la carretera y los caminos, y decida qué quiere utilizar. De nuevo, puede emplear una sola tela para todos o varias. Asegúrese de que dispone de piezas lo suficientemente largas para evitar tener que unir diversos retales. Si le sirve de ayuda, puede calcar el diseño de los diagramas de las páginas 100-102 y marcar o colorear dónde irá cada tela.

Corte

Siguiendo el diagrama de la página 102, corte las piezas de las telas de soporte. Recuerde que todos los márgenes de costura miden 1 cm y se incluyen en las medidas indicadas en el diagrama. Escriba el número de cada pieza por detrás, con un lápiz, y después agrúpelas en los correspondientes bloques individuales:

A1, A2, A4, A6

B1, B2, B4, B6

C1, C2, C4, C6, C7

D1, D3, D5, D6

E1, E3, E4, E6

F1, F2, F4, F6

G1, G3, G4, G6

H1, H3, H4, H6, H7

I1, I3, I5, I6

A continuación, corte la carretera y los caminos; escriba los números por detrás y guarde las piezas en sobres etiquetados:

A5, B5, C5, D4, E2, F3, G2, H2, I2, J

Corte y cosa los retazos. Al cortar primero las partes más grandes de la colcha, le quedarán restos de tela que podrá incorporar a algunos retazos. Estos funcionan con el mismo principio que el diseño del cojín para un nuevo hogar (*véase* pág. 80); por tanto, siga esas instrucciones con las medidas de los diagramas de las páginas 100-101. Prepare dos retazos A, dos B, tres C y dos D.

Ya tiene nueve retazos y todas las piezas necesarias para confeccionar la colcha.

Composición de los bloques

Empiece cosiendo el bloque A con el diagrama principal de la página 102 a modo de guía.

Con los derechos juntos, sujete con alfileres A2 a un retazo A3 y cósalos. Planche las costuras.

Con los derechos juntos, como antes, sujete con alfileres A4 a A5 y cósalos. A continuación, sujete con alfileres A6 al otro borde de A5 y cósalos. Planche las costuras.

Sujete con alfileres A2/A3 a A4/A5/A6 y cósalos. Planche las costuras.

Sujete con alfileres y cosa ese grupo a A1. Planche las costuras y habrá acabado el primer bloque.

Repita el proceso para los ocho bloques restantes.

Unión de los bloques

Con los derechos juntos, sujete con alfileres el bloque A al bloque B y cósalos. Añada el bloque C y después el bloque D. Planche las costuras y reserve la pieza.

Sujete con alfileres el bloque E al F y cósalos. Continúe añadiendo los bloques G, H e I hasta completar este lado. Planche las costuras.

Sujete con alfileres el borde izquierdo de la pieza J al borde derecho del bloque A/B/C/D y cósalos. A continuación, sujete con alfileres el borde izquierdo del bloque E/F/G/H/I al borde que queda de la pieza J y cósalos. Asegúrese de alinear las piezas B5 y G2 cuando las cosa.

Planche las costuras y tendrá lista la capa superior de la colcha.

Finalización de la colcha

Prepare la capa inferior. Cosa las piezas elegidas hasta formar un cuadrado de, al menos, 230 × 230 cm o 10 cm más grande que la capa superior en todos sus lados.

Confeccione el «sándwich» para la colcha siguiendo las instrucciones de la página 128.

Acolche el sándwich a máquina o a mano. Las diferentes opciones se explican en la página 131. Para este proyecto opté por el acolchado de brazo largo con un elegante diseño de plumas. De este modo se mantienen unidas todas las piezas y la colcha queda un poco más plana, algo que considero ideal para este diseño.

Corte los bordes de manera que queden uniformes y se facilite la colocación del ribete. Confeccione y sujete el ribete en su lugar siguiendo las instrucciones de las páginas 132-133.

Diagram A:

11. 17 × 4 cm

10. 4 × 15 cm

7. 4 × 13 cm

5. 9 × 4 cm

8. 6 × 13 cm

3. 4 × 9 cm

1. 5 × 5 cm

2. 5 × 6 cm

4. 4 × 9 cm

6. 9 × 4 cm

9. 15 × 4 cm

Retazo A: 15 × 15 cm
salen 2 (A3 y H5)

Diagram B:

12. 6 × 33 cm

11. 29 × 11 cm

13. 6 × 33 cm

7. 5 × 22 cm

5. 14 × 5 cm

3. 5 × 14 cm

2. 8 × 5 cm

1. 8 × 11 cm

4. 5 × 14 cm

8. 5 × 22 cm

10. 11 × 24 cm

6. 14 × 7 cm

9. 20 × 4 cm

14. 37 × 6 cm

Retazo B: 35 × 35 cm
salen 2 (D2 y E5)

Retazo C: 30 × 30 cm
salen 3 (B3, G5 y I4)

12. 5 × 32 cm

13. 5 × 32 cm

9. 26 × 5 cm

8. 26 × 6 cm

6. 6 × 18 cm

4. 18 × 5 cm

7. 6 × 18 cm

2. 7 × 12 cm

1. 8 × 12 cm

3. 7 × 12 cm

5. 18 × 5 cm

10. 26 × 6 cm

11. 26 × 5 cm

Retazo D: 25 × 25 cm
salen 2 (C3 y F5)

12. 27 × 7 cm

10. 6 × 15 cm

8. 5 × 15 cm

7. 11 × 4 cm

9. 5 × 15 cm

11. 8 × 15 cm

4. 4 × 11 cm

2. 7 × 4 cm

1. 7 × 7 cm

5. 4 × 11 cm

3. 7 × 4 cm

6. 11 × 4 cm

13. 27 × 9 cm

Tamaño final con ribete: 210 × 210 cm

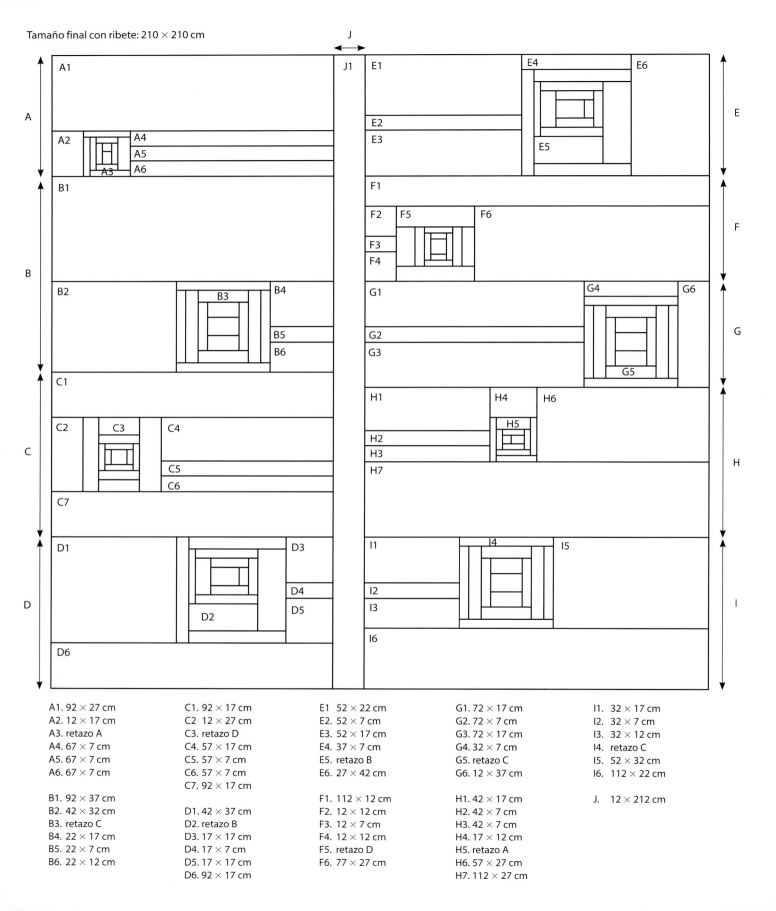

A1. 92 × 27 cm
A2. 12 × 17 cm
A3. retazo A
A4. 67 × 7 cm
A5. 67 × 7 cm
A6. 67 × 7 cm

B1. 92 × 37 cm
B2. 42 × 32 cm
B3. retazo C
B4. 22 × 17 cm
B5. 22 × 7 cm
B6. 22 × 12 cm

C1. 92 × 17 cm
C2 12 × 27 cm
C3. retazo D
C4. 57 × 17 cm
C5. 57 × 7 cm
C6. 57 × 7 cm
C7. 92 × 17 cm

D1. 42 × 37 cm
D2. retazo B
D3. 17 × 17 cm
D4. 17 × 7 cm
D5. 17 × 17 cm
D6. 92 × 17 cm

E1 52 × 22 cm
E2. 52 × 7 cm
E3. 52 × 17 cm
E4. 37 × 7 cm
E5. retazo B
E6. 27 × 42 cm

F1. 112 × 12 cm
F2. 12 × 12 cm
F3. 12 × 7 cm
F4. 12 × 12 cm
F5. retazo D
F6. 77 × 27 cm

G1. 72 × 17 cm
G2. 72 × 7 cm
G3. 72 × 17 cm
G4. 32 × 7 cm
G5. retazo C
G6. 12 × 37 cm

H1. 42 × 17 cm
H2. 42 × 7 cm
H3. 42 × 7 cm
H4. 17 × 12 cm
H5. retazo A
H6. 57 × 27 cm
H7. 112 × 27 cm

I1. 32 × 17 cm
I2. 32 × 7 cm
I3. 32 × 12 cm
I4. retazo C
I5. 52 × 32 cm
I6. 112 × 22 cm

J.   12 × 212 cm

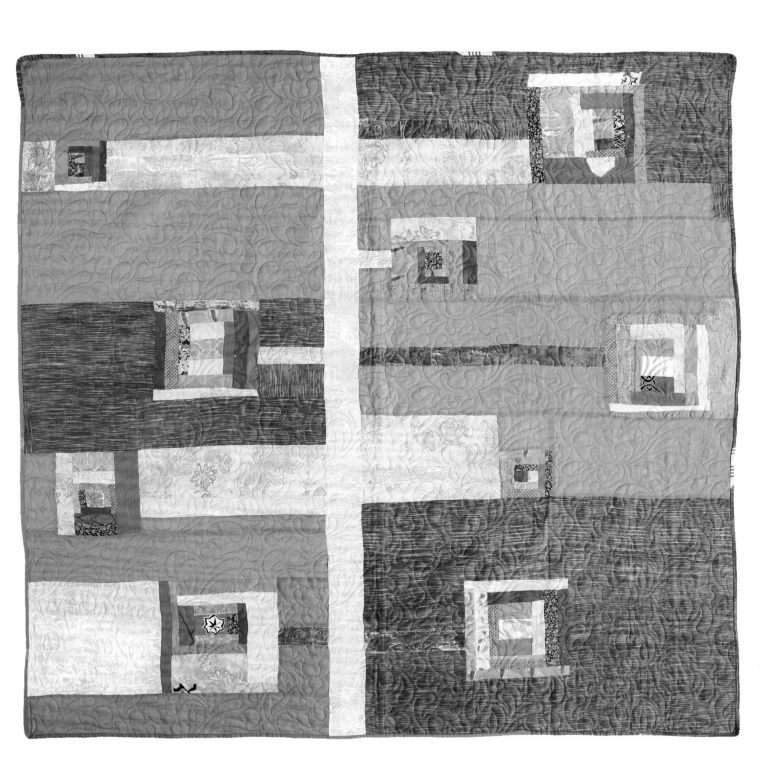

Colcha «Historias de viajes»

Viajar representa nuestra gran oportunidad de huir de la rutina diaria. Tanto si se lanza a viajar con una mochila durante un año sabático como si toma un vuelo barato para pasar quince días en una isla griega, estas serán ocasiones que le permitirán ser realmente usted mismo. Verá nuevos lugares y lo contemplará todo de un modo enteramente distinto.

Ir de compras en los diferentes destinos es uno de los grandes placeres de viajar. Hacerse con un sari en un mercadillo de la India, una manta de un vendedor apostado junto a la carretera en Kenia o retales de preciosos linos antiguos en Francia nos ayuda a cultivar los recuerdos de esos lugares y de las personas que los habitan. Por desgracia, lo más habitual es que al llegar a casa guardemos nuestras adquisiciones en un armario y continuemos con la rutina. No obstante, ya ha llegado el momento de sacar esos tesoros y convertir sus aventuras, grandes y pequeñas, en una colcha llena de felices recuerdos.

Diseño

Esta colcha comenzó con dos piezas de tela: una vistosa lana japonesa en tono malva y el forro de color mantequilla de una antigua chaqueta francesa. Dos destinos y dos sensibilidades de diseño muy diferentes, pero ambas telas con detalles encantadores. Añadí un sari lila y gris y algunas sedas en tono púrpura ahumado de Oriente, combinación que supuso la base de una colcha muy delicada y madura. Aunque mezclé seda, algodón y lana, me aseguré de que los pesos de estos materiales resultasen muy similares. Como quería que la capa inferior fuese muy sencilla, opté por algodón de la India tejido a mano en color marfil. Para el ribete utilicé seda habotai gris.

Consejo para comprar telas

Si quiere adquirir telas que combinen con las que ya tiene para su colcha de viajes, llévese una pequeña muestra de cada una. Así evitará cargar con una pesada bolsa para encontrar piezas que vayan bien con las que ya tiene y no dependerá únicamente de la memoria.

Tamaño final

La colcha acabada mide 210 × 220 cm.

Capa superior

Resulta difícil indicar una cantidad exacta de tela, pero necesitará, al menos, 5 m.

Extienda todas las telas que quiere utilizar para hacerse una idea clara de la cantidad de que dispone. Si no tiene suficiente tela, visite un establecimiento especializado para rellenar los huecos. Si cuenta con tela de sobra (resulta difícil resistirse a los saris), será cuestión de elegir.

Busque combinaciones que le gusten. Cada pieza puede ser de una única tela, o tal vez prefiera repetir algunas telas en diferentes puntos de la colcha. Este diseño incluye diversos tamaños, de manera que puede equilibrar bordados exquisitos con piezas más grandes y más sencillas. Si cuenta con alguna pequeña pieza especial, ubíquela en primer lugar.

Capa inferior

Necesitará en torno a 5 m de tela. Un sari entero sería ideal, igual que una vieja sábana de lino francés o un par de *sarongs* de Bali. También puede utilizar restos de la capa superior u otro material completamente nuevo o antiguo.

Ribete

Necesitará, aproximadamente, 0,5 m de tela. De nuevo, puede aprovechar restos o bien otra tela distinta.

También necesitará

Entretela: una pieza 10 cm, aproximadamente, más grande que la capa superior en todos sus lados.

Hilo de costura: hilo multiusos 100 % algodón en un color neutro.

Hilo de acolchar: en algodón 100 % y en el color que prefiera.

El diseño se basa en una colcha coreana de *pogaji* que vi hace muchos años. El patrón parece aleatorio, pero no lo es; lo que ocurre es que hay muchas piezas de diferentes tamaños para dar cabida a los saris y a los retales más pequeños. La colcha se divide en tres secciones o bloques, y puede confeccionar una, dos o las tres. La colcha de tamaño grande es para una cama doble; con dos secciones tendría suficiente para una manta para los pies de la cama, y con una sección formaría una preciosa colcha para el sofá. Todo depende de sus viajes y de su paciencia.

Ensamblaje

Existen dos maneras de componer esta colcha en función de la confianza que tenga en su visualización de las combinaciones de telas. Si le falta confianza, no se preocupe; dado que las piezas son bastante grandes, puede resultar difícil el ensamblaje y es mejor ir sobre seguro que cortar la tela de manera incorrecta.

El primer modo de confeccionar la colcha consiste en componer los bloques de uno en uno; es decir, planificar y después cortar A, B o C, concentrándose únicamente en esas 15-18 piezas (*véase* diagrama, pág. 108). Cuando haya cortado y ensamblado el primer bloque, puede pasar al siguiente.

El segundo método para cortar la colcha consiste en hacerlo como un gran bloque. Al principio tendrá que tomar más decisiones, pero ejercerá algo más de control en el aspecto de la colcha.

En cualquier caso, coserá la colcha bloque a bloque.

Calque el diagrama de la página 108 y utilice lápices de colores para planificar su diseño.

Corte

Asegúrese de disponer de suficiente espacio para distribuir todo el material (una cama, el suelo o una pared). Comience a colocar piezas de tela para ir formando una combinación que le guste. A continuación, y siguiendo el diagrama de la página 108, corte las piezas con los tamaños correspondientes. Todos los márgenes de costura miden 1 cm y se incluyen en las medidas indicadas en el diagrama.

No es necesario que empiece con A1. Normalmente yo elijo y corto primero las piezas más grandes para asegurarme de que cuento con las necesarias. No olvide destacar también las piezas pequeñas más preciadas. Indique el número de cada una con un lápiz, por el revés, a medida que trabaja.

Cuando tenga un bloque completo, o toda la colcha, podrá empezar a coser.

Composición de los bloques

Como con el resto de las colchas de este libro, se trata de «construir» bloques, de manera que solo coserá líneas rectas. Comenzando con el bloque A, sujete con alfileres A1 a A2 con los derechos juntos y cósalos. Planche las costuras. Añada A3 (sujete con alfileres, cosa y planche). Y, a continuación, repita todo el proceso con A4. De este modo se completa un bloque dentro de un bloque.

Observe el diagrama: verá que a continuación se une A5 a A6, y después A7 a los dos anteriores. Este «minibloque» se une al primer bloque.

Siga formando el bloque A. Cuando domine el método, le resultará muy sencillo y rápido.

Cuando termine el bloque A, pase al bloque B y después al C.

Unión de los bloques

Cuando tenga listos los tres bloques, cósalos con los derechos juntos siguiendo los bordes largos. En la colcha hay algunos puntos en los que las líneas de costura coinciden entre bloques; asegúrese de alinear y sujetar con alfileres esos puntos antes de coser. Planche las costuras y habrá acabado la capa superior de la colcha.

Finalización de la colcha

Confeccione la capa inferior. Cosa las piezas elegidas hasta tener un cuadrado de, al menos, 230 × 240 cm o 10 cm más grande que la capa superior acabada (en todos sus lados).

Prepare el «sándwich» para la colcha siguiendo las instrucciones de la página 128. Acolche a mano o a máquina. Las diferentes opciones se explican en la página 131. Yo opté por el acolchado de brazo largo para darle un aire sofisticado.

Corte los bordes de la colcha de manera que queden regulares. De este modo resultará mucho más sencillo ajustar el ribete. Confeccione y coloque el ribete siguiendo las instrucciones de las páginas 132-133.

Le aseguro que cada vez que vea esta colcha recordará los océanos, las montañas, las ciudades y las personas que haya conocido en sus viajes, una sensación realmente maravillosa.

Tamaño final con ribete: 210 × 220 cm

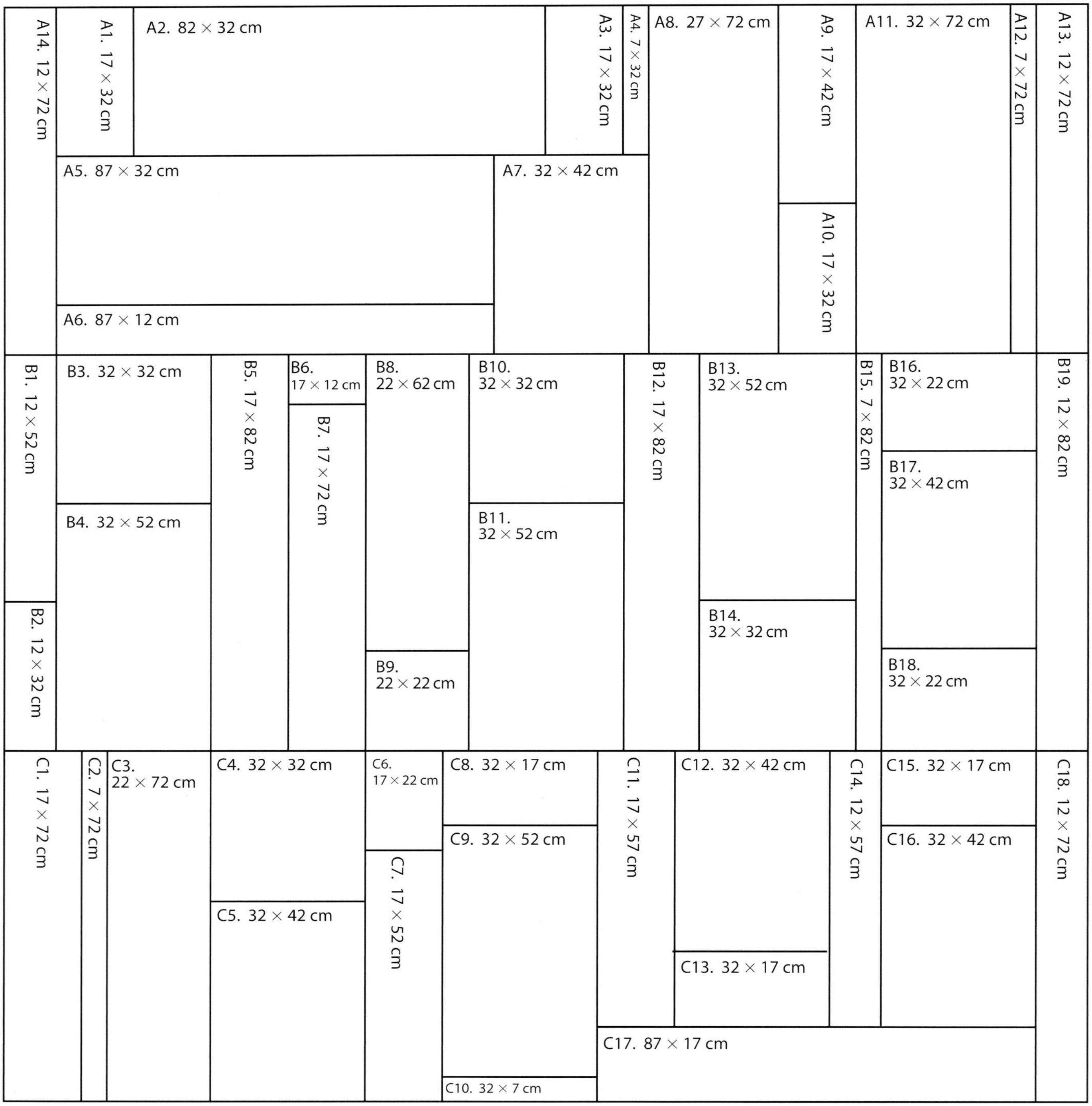

A14. 12 × 72 cm

A1. 17 × 32 cm

A2. 82 × 32 cm

A3. 17 × 32 cm

A4. 7 × 32 cm

A8. 27 × 72 cm

A9. 17 × 42 cm

A11. 32 × 72 cm

A12. 7 × 72 cm

A13. 12 × 72 cm

A5. 87 × 32 cm

A7. 32 × 42 cm

A10. 17 × 32 cm

A6. 87 × 12 cm

B1. 12 × 52 cm

B3. 32 × 32 cm

B5. 17 × 82 cm

B6. 17 × 12 cm

B7. 17 × 72 cm

B8. 22 × 62 cm

B10. 32 × 32 cm

B12. 17 × 82 cm

B13. 32 × 52 cm

B15. 7 × 82 cm

B16. 32 × 22 cm

B19. 12 × 82 cm

B4. 32 × 52 cm

B11. 32 × 52 cm

B17. 32 × 42 cm

B2. 12 × 32 cm

B14. 32 × 32 cm

B18. 32 × 22 cm

B9. 22 × 22 cm

C1. 17 × 72 cm

C2. 7 × 72 cm

C3. 22 × 72 cm

C4. 32 × 32 cm

C6. 17 × 22 cm

C8. 32 × 17 cm

C11. 17 × 57 cm

C12. 32 × 42 cm

C14. 12 × 57 cm

C15. 32 × 17 cm

C18. 12 × 72 cm

C9. 32 × 52 cm

C16. 32 × 42 cm

C7. 17 × 52 cm

C5. 32 × 42 cm

C13. 32 × 17 cm

C17. 87 × 17 cm

C10. 32 × 7 cm

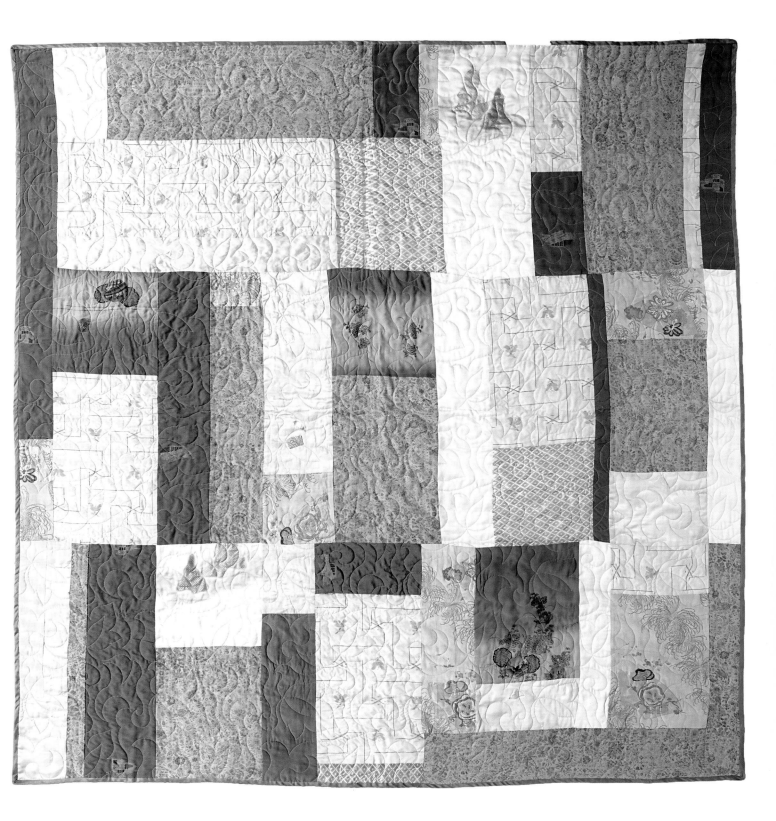

Cuadros «Nomeolvides»

Cuando perdemos a un ser querido, lo único que nos queda
de él son sus posesiones. Guardamos su ropa y no sabemos qué
hacer con ella. Nos parece mal darla, pero nos resulta igualmente
difícil conservarla.

Cada uno de nosotros es recordado por determinadas prendas
de ropa y formas de vestir. Parece que nos resumen y que son
una manifestación visual de quiénes los demás piensan que somos.
Con este proyecto quería crear algo que le permitiese guardar una
prenda de un ser querido. Tal vez desee crear más de un cuadro
para regalar a la familia o a los amigos, o bien puede reunir
a varios de ellos para confeccionarlos juntos y celebrar la vida
de alguien especial.

Sin duda, se trata de piezas muy personales. Espero que
el proceso de seleccionar las diferentes telas y coserlas le ayude,
además de crear recordatorios tangibles y hermosos de un ser
querido que ya no está.

Diseño

Este proyecto no podría ser más sencillo y libre. Cada uno de
estos cuadros está cosido a mano, ya que solo miden 20 × 20 cm.

Ensamblaje

Tamaño final
Aproximadamente 20 × 20 cm, aunque este
proyecto permite cualquier tamaño.

Necesitará
Retales de tela con un significado especial
para usted.

Hilo de costura: hilo multiusos 100 % algodón
en un color neutro.

Adornos, como encajes o hilo de bordar, si lo desea.

Un marco adecuado (estos son de Ikea).

Reúna las piezas de tela que desea utilizar. A continuación,
córtelas como prefiera y cósalas de manera que el diseño
se forme de manera instintiva. Planche las costuras cada vez
que añada una nueva pieza. Mi primera pieza medía 5 × 4 cm,
y después corté una tira de, aproximadamente, 5 × 2 cm para
añadirla a esa primera.

Cosa las dos primeras piezas de tela con los derechos juntos
y planche. Elija y corte una tercera pieza de tela y añádala a las
dos anteriores. Puede incorporar piezas más largas y cortar la tela
después de plancharla; estas pueden ser, además, estrechas, anchas,
triangulares o rectangulares. Continúe añadiendo retales hasta

que el cuadro tenga las dimensiones deseadas. Observe los
ejemplos de la página anterior para ver cómo he compuesto
los bloques. Cuando considere que ha terminado, planche
la pieza con cuidado.

Si lo desea, incluya adornos adicionales: botones bonitos,
encajes, cuentas decorativas, lentejuelas o bordados.

Por último, busque un marco adecuado para la pieza
y para la personalidad de la persona a la que va destinada.

Cortina
«Retales de historia»

Siempre me han apasionado las sedas finas y la pasamanería antigua. Tengo sobres y cajas llenas de retales preciosos. Un encaje rosa de un anticuario francés y unas bonitas franjas de cinta de color café que descubrí en la trastienda de un establecimiento de segunda mano encontraron su lugar en mi casa. Igual que unas chaquetas victorianas de terciopelo y unas delicadas fundas de almohada de la década de 1930, mi época favorita en lo que a moda se refiere y una gran fuente de inspiración.

Creo que de vez en cuando está bien crear algo bonito aunque no sea útil. La belleza eleva el espíritu y llena el corazón, y con eso casi siempre es suficiente. Si le apasionan las telas, es posible que tenga alguna demasiado bonita para convertirla en una práctica colcha, pero no para una cortina, una pieza que difumine la luz y le aporte alegría cada vez que la vea.

Diseño

Hace años visité una exposición sobre la diseñadora de moda francesa Madeleine Vionnet. Me asombró su maravilloso trabajo, por lo que dicha exposición es hoy una referencia constante para mí. Sus diseños y su ejecución eran casi matemáticos y, sin embargo, las prendas parecían «libres», finas y delicadas, pero con una confección precisa y perceptible. Las formas simples y los bordados espectaculares daban lugar a prendas de una extraordinaria belleza. Las matemáticas, las telas y las puntadas complejas son como el nirvana del diseño para mí.

Esta cortina se basa en el mismo principio de estilo libre que la colcha «Porque les quiere» (*véase* pág. 48): es decir, se trata de construir bloques del mismo modo que para el resto de las colchas, pero sin un patrón predeterminado. Si prefiere planificar la cortina de manera más metódica, consulte la página 134, donde explico cómo diseñar su propio patrón.

Tamaño final

No existen unas dimensiones determinadas para esta cortina; estas dependen por completo de las medidas de la ventana o la puerta sobre la que la vaya a colgar. El diseño funcionará igualmente bien para una pequeña ventana o para un gran ventanal. Por tanto, empiece por decidir dónde colocará la cortina, tome las medidas y después calcule el tamaño que debe tener la pieza.

El ancho final de la cortina debería ser entre una y media y dos veces el ancho de la ventana o la puerta, dependiendo del vuelo que desee darle. Yo prefiero que la cortina quede bastante lisa. En cuanto al largo, me gusta que arrastre un poco, pero si lo prefiere puede hacer que quede a ras de suelo.

Tela de la cortina

No es fácil indicar unas cantidades de tela exactas para este diseño, ya que el tamaño es decisión suya y depende también de la tela de que disponga.

Tiene que planificar la cortina en tres partes: una pieza sólida para el tercio superior, una mezcla de telas para el centro y una segunda pieza sólida para el tercio inferior. Con «sólida» me refiero a una sola pieza de tela; por eso, este es el proyecto perfecto para utilizar encaje o cualquier otra tela transparente.

Además precisará tela extra para las piezas aplicadas con la técnica *boro* (*véase* pág. 115).

También necesitará

Hilo de costura: hilo multiusos 100 % algodón en un color neutro.

Hilo de acolchar o de bordar en el color que prefiera.

La paleta cromática surgió de la habitación donde se encuentra la cortina, la pequeña biblioteca de nuestra antigua casa, en la que he pasado tantas horas leyendo. Era mi sala favorita y albergaba mis muebles, objetos de arte y libros preferidos.

Algunas de las telas ya las tenía; otras las busqué y acabé con una maravillosa combinación compuesta por un antiguo sari de chifón de seda, unos retales de seda de un kimono, el forro de la manga de un abrigo y un poco de terciopelo que teñí varias veces con el fin de conseguir el color exacto que quería. Puede parecer un poco pedante, pero sé que llevaré esta cortina conmigo allí donde vaya.

Ensamblaje

Para empezar, calcule el ancho y el largo de la cortina (*véase* «Tamaño final», pág. 112). Mi cortina arrastra un poco, lo que le ofrece versatilidad para futuros cambios, pero si lo prefiere puede confeccionarla más corta.

Corte

Divida el panel en tercios a fin de obtener las dimensiones para las dos piezas sólidas de la parte superior y la inferior de la cortina. No olvide añadir los márgenes de costura; yo añadí un margen de 1 cm, aunque para este proyecto puede ser menor. Corte las piezas superior e inferior y resérvelas.

La sección central es la que le permitirá jugar con las piezas y ensamblarlas según su propio diseño. Reúna todas las telas y colóquelas sobre un espacio despejado. Muévalas hasta encontrar una distribución que le agrade de verdad. Ensamble piezas grandes y pequeñas, y no dude en superponer algunas telas si le gusta el efecto. Si lo desea, dibuje esta sección en un papel cuadriculado, tal como se explica en la página 134. En este caso, corte todas las piezas a medida sin olvidar los márgenes de costura.

Unión de las piezas

Cuando lo tenga todo planificado y colocado, empiece a coser por uno de los bordes de la cortina y continúe a lo ancho o hacia abajo (de este modo resulta más sencillo controlar la costura y concentrarse).

Si trabaja con telas muy finas, asegúrese de poner la aguja adecuada en la máquina de coser. Un prensatelas móvil le facilitará mucho la tarea. Si su máquina de coser no cuenta con prensatelas, conviene invertir en uno, porque le servirá para coser telas finas o resbaladizas, y también para acolchar.

Sujete con alfileres dos piezas con los derechos juntos y cóselas. Planche las costuras con la plancha a la temperatura correcta para el tipo de tela. Si no ha planificado el tamaño de cada pieza, tendrá que cortar el exceso de tela antes de unir la siguiente pieza. Continúe cortando y uniendo piezas.

Si le resulta más sencillo, puede confeccionar varios bloques y unirlos después en un gran panel.

Es posible que deba añadir o quitar piezas a su configuración original. Tómese su tiempo y recuerde que el principio de «construir bloques» es exactamente el mismo tanto si tiene un patrón preciso como si crea el suyo propio.

Cuando tenga el tamaño deseado, corte la tela sobrante y asegúrese de que los cuatro bordes estén rectos.

Finalización de la cortina

Con la sección de piezas en el centro, sujete con alfileres las tres secciones con los derechos juntos y cóselas. Planche las costuras.

Doble el margen de costura en torno al borde de la cortina y cóselo a mano o a máquina. Yo lo cosí a máquina, pero después de tomar la fotografía decidí descoserlo y coserlo a mano con un hilo metálico antiguo. Ahora siento que he honrado el espíritu de madame Vionnet.

La técnica *boro*

El último paso consiste en decidir si desea aplicar algún «parche» a la cortina. Personalmente encuentro una gran inspiración en las colchas japonesas de estilo *boro*, y pensé que quedaría bien en la cortina, pero con telas transparentes y delicadas sedas en lugar de algodones funcionales.

En este caso, corté rectángulos y los coloqué de la manera que me pareció más bonita. A continuación, los sujeté con alfileres y los cosí a mano sobre la cortina con hilo metálico, dejando los orillos vivos. Puede emplear esta técnica en mayor o menor medida, y colocar los parches donde prefiera (por ejemplo, sobre una pieza dañada o para realzar una tela determinada).

Con ello, su cortina estará lista. Estoy segura de que quedará preciosa.

Me encanta la tradición de los *acolchados*,
de convertir telas con un significado especial
en *piezas útiles* y bonitas mediante la creatividad
y las *elecciones* personales.

Cuestiones prácticas

Existen determinadas cuestiones prácticas, utensilios y técnicas
que debe conocer antes de empezar a acolchar. No obstante, cuando
conozca los conceptos básicos del acolchado podrá elegir el modo
de confeccionar sus piezas. Hay creadores tradicionales que insisten
en un modo «correcto» de hacer las cosas. También encontrará
libros con instrucciones estrictas que incitan a abandonar la
labor antes de empezarla. Definitivamente, no quiero nada de
eso. Del mismo modo que ajustamos las recetas para adaptarlas
a nuestros gustos personales, lo que yo deseo es que encuentre
su propio modo de crear acolchados.

La tecnología brinda algunas herramientas estupendas que
facilitan mucho las cosas y dejan más tiempo para crear. Yo estaría
perdida sin un cortador giratorio y una máquina de coser.

Esta sección pretende ayudarle a reunir los utensilios necesarios
y a aprender cómo se confecciona un acolchado. Y después podrá
elaborar la pieza que desee a su manera.

Prácticas, preciadas y *personales*: estas son las características necesarias para elegir las telas.

Tela

Aquí empieza todo con el quimono de una feria de antigüedades, una tela estampada con reserva de cera de un mercado africano o incluso con ese cajón lleno de retales coleccionados a lo largo de los años. Las telas atraen por motivos no solo visuales: también pueden constituir recuerdos táctiles de un lugar o una persona.

Cuando confeccionamos acolchados, podemos mezclar telas antiguas y contemporáneas, retales guardados durante mucho tiempo y nuevas adquisiciones, prendas de ropa *vintage* y piezas modernas. Me encantan las telas específicas para acolchar, pero me inspira más mi propia colección porque en ellas está mi auténtico yo. Un acolchado confeccionado con retales que nos gustan o que albergan recuerdos especiales provoca más sentimientos que un acolchado cualquiera.

Considero que los acolchados deberían ser prácticos: para taparnos en la cama o en el sofá. Y muy personales. La vida de cada persona es única; así, al plasmar su historia, sus recuerdos y sus telas en un acolchado, lo convierte en una pieza con un gran valor.

Elegir telas

Para un acolchado se puede usar casi todos los tipos de telas (pero no todos). Casi siempre se emplean de algodón, lo que en un mundo ideal constituye la mejor opción: son resistentes, no se estiran y quedan muy bien cuando se cosen. No obstante, es posible que sienta una verdadera pasión por los fulares de seda *vintage* o por las sábanas antiguas de lino francés. Tal vez guarde un pelele de alguno de sus hijos o un retal de encaje del vestido de boda de su madre. Utilícelos. Solo debe tener en cuenta lo siguiente:

- Si desea usar telas de diferentes pesos en una misma pieza, intente unir telas similares. Si coloca una pieza de lana junto a una de seda, es posible que esta última acabe rasgándose. En cambio, si cose la seda a un retal de algodón y, a continuación, a la lana, todas funcionarán mejor.

- Cada tela se «comporta» de manera distinta a largo plazo. Los retales muy antiguos o de telas tejidas a mano no serán tan resistentes como el algodón comercial para acolchar. No obstante, siempre puede arreglar, remendar o disfrutar del proceso de desgaste y cambio.

- Algunos materiales no son prácticos para ciertos acolchados. Una colcha para un bebé tiene que ser de una tela adecuada por razones obvias. Si es para un adolescente o para la cama de un perro, debería ser muy práctica.

- La seda puede llegar a ser muy frágil, y perderá color si se expone a la luz directa del sol. La seda muy antigua puede desgarrarse o desintegrarse al acocharla; conviene reservarla para piezas muy pequeñas.

- El encaje y el chifón necesitan una capa inferior de otra tela antes de utilizarlos en un acolchado, y no solo para que no resulte visible la capa de entretela, sino también para dotarles de mayor resistencia.

- Las corbatas son muy difíciles de utilizar en el cuerpo de una colcha, pero resultan ideales para los ribetes porque están cortadas al bies.

- Los tejidos de punto resultan complicados porque se estiran y pueden distorsionar el acolchado. No obstante, si plancha una entretela a modo de base antes de cortarlos, presentarán un comportamiento mucho más fácil de trabajar.

- Los vaqueros y el denim grueso son demasiado duros para acolchar a mano, pero un buen acolchador de brazo largo podrá con la tarea.

- Las sábanas antiguas de lino son muy prácticas y bonitas para la capa inferior de cualquier acolchado.

- No todos los algodones tienen la misma calidad. El algodón de la India tejido a mano es distinto al algodón Liberty, pero ambos quedan preciosos.

- Las telas artificiales, como el poliéster, no quedan bien en los acolchados. Se comportan de manera distinta a los tejidos de fibras naturales cuando se lavan y se cosen, y no resultan tan táctiles ni tan cálidas.

Color, tono, estampado y escala

Convertir las telas elegidas en un acolchado puede ser complicado. Aquí es donde muchas personas se sienten paralizadas porque no están acostumbradas a seleccionar tantas telas. No obstante, de manera instintiva surgirá una combinación que le guste. Adelante con ella. Aunque puede que no sea del agrado de todo el mundo, eso no importa.

En lo que respecta al color, inspírese en la madre naturaleza: los pájaros, los jardines y los paisajes nos aportan una muy buena idea de lo que combina bien. Visite galerías de arte, observe los escaparates de las floristerías y las tiendas en general; consulte libros sobre cualquier tema (excepto acolchados) para obtener

ideas. Es posible que le estimule un Monet o un Rothko, o incluso una instalación lumínica. Yo me inspiro en cualquier cosa, desde un libro sobre Vionnet, la diseñadora de moda, hasta un jardín a finales del otoño. Deje fluir su mente y disfrute descubriendo una paleta cromática que le guste. Cuando elija combinaciones de colores, añada y retire telas para comprobar cómo cambia el aspecto general. Tómese su tiempo, ya que se trata de una fase muy importante del proceso.

Otro aspecto fundamental es el uso de los estampados y la escala. En cuanto a los estampados, yo tengo en cuenta tres niveles de escala. En primer lugar, los estampados grandes o dominantes: flores o pájaros de gran tamaño, o telas con un gran caniche repetido, por ejemplo. A continuación vendrían los estampados medianos: hojas, flores algo más pequeñas o *toile*. Y por último estaría la ausencia de estampados, las telas lisas o con textura, o las que presentan topos o rayas repetidas. Observe colecciones de telas y comprobará que los diseñadores trabajan las tres escalas en gamas. Si va a utilizar estampados grandes en su acolchado, es preciso que incluya las otras dos categorías para proporcionar equilibrio. Estas enmarcarán las telas de mayor escala y les permitirán «respirar» y ser vistas. Además, la combinación de las tres escalas favorece el movimiento de la vista por la pieza.

Cálculo de las cantidades de tela

Las cantidades de tela que necesitará variarán en función del estilo de la pieza que vaya a confeccionar y del tamaño final. Las piezas más pequeñas implican más costuras, lo que significa que se requerirá más tela. Decida, en primer lugar, el tamaño del acolchado, y a continuación podrá realizar un cálculo aproximado. Por ejemplo, una colcha con un tamaño final de 210 × 210 cm implica una superficie total de 4,41 m. Yo redondearía esa cifra a 5,5 m a fin de asegurarme de contar con suficiente tela para elegir. Puede parecer un poco exagerado, pero si piensa en el trabajo que va a tener que dedicar a una colcha así y el tiempo que le va a durar, ya no lo parece tanto.

¿Cuántas prendas se necesitan para confeccionar una colcha?

Si le gustan las faldas de la década de 1950, no necesitará muchas para confeccionar una colcha. En cambio, si va a crear una pieza con ropa de bebé, tendrá que emplear muchas más prendas. Si las camisas de su marido son de la talla XL, necesitará muchas menos que si son de la S. Esto también depende del estilo de colcha que vaya a confeccionar, del número de costuras y del tamaño de las piezas que la compondrán.

¿La ropa que va a utilizar será un elemento destacado o más bien desea que la colcha se componga de una mezcla de prendas? Planificar este factor antes de comenzar le ayudará a calcular cuántas prendas o tela extra precisará.

Lo más recomendable es empezar recopilando todas las prendas que pretende utilizar en la colcha y disponerlas sobre una cama o en el suelo para hacerse una idea visual de la cantidad de tela con la que cuenta. Siempre requerirá más tela de prendas de ropa que de tela al corte, ya que las formas irregulares implican que una parte se desperdicia. Excédase, y si cree que no tiene suficiente tela, aproveche la oportunidad para salir a comprar algún retal nuevo o antiguo que combine. Si le quedan restos, siempre podrá emplearlos para la capa inferior o el ribete.

Compra de telas

Cuando trabajo en un acolchado, normalmente creo un *mood board* para hacerme una idea. Casi siempre utilizo postales de exposiciones o imágenes escaneadas de libros como punto de partida, y pego muestras de las telas que ya tengo en un cuaderno (*véase* pág. anterior). Cuando salgo de compras, abro el cuaderno y compruebo si alguna de las telas que me gustan combina con lo que ya tengo planeado.

Si adquiere la tela de un rollo, le sugiero que compre, al menos, 0,5 m. Si es más de lo que cree que utilizará para la capa superior de la colcha, siempre puede aprovechar el resto para la capa inferior, si cuenta con bastante tela. Obviamente, los fulares, los retales y los vestidos se presentan tal cual y deberá trabajar con lo que tenga.

Preparación de las telas

Nadie quiere que su colcha se arrugue o que salgan carreras con el primer lavado; por tanto, lave por separado todas las telas antes de utilizarlas y plánchelas. Lave a mano las telas delicadas o de origen desconocido, y a máquina las de fabricación en masa.

El lavado evita que posteriormente se encoja la tela. Todas las telas se encogen de forma distinta en función de cómo estén tejidas.

También debe asegurarse de que la tela no tenga un exceso de tinte, sobre todo si es étnica o teñida a mano. Lave todas las telas por separado hasta que el agua salga clara. Algunos tipos de tela necesitan una «fijación»; para ello se hierven en agua con sal. Por último, algunas telas de producción comercial presentan una especie de cola de aspecto gelatinoso que hace que parezcan más firmes. Cuando las lave, ese acabado desaparecerá.

Asegúrese de planchar todas las piezas antes de empezar a cortarlas. Si utiliza prendas de ropa, retire cuellos, pretinas y puños (*véase* pág. 124) y planche las partes que pueda aprovechar.

Hilos

Con Coats, la costura resulta muy fácil, queda ideal cuando se acolcha a mano y posee un brillo casi perfecto. Compre un par de marcas distintas y compruebe cuál le gusta más. Mies van der Rohe afirmó que «Dios está en los detalles», y nadie quiere echar a perder un acolchado por una mala elección del hilo. Emplee un color neutro para coser las piezas, a menos que las telas sean muy oscuras.

Si acolcha a mano, el color del hilo añadirá más personalidad al trabajo. Planifíquelo. Puede utilizar hilo de bordar de seda, de lino o de lana.

Utensilios y equipo

No se necesitan muchos utensilios especiales para confeccionar un acolchado, pero hay algunos imprescindibles que le facilitarán mucho las cosas y le permitirán ahorrar mucho tiempo. Puede adquirir el equipo preciso en la red o en un establecimiento especializado.

Los tres primeros utensilios que se indican a continuación son específicos para confeccionar acolchados. El resto son piezas que podrá emplear para cualquier proyecto de costura.

Plancha de corte (1)

Sirve para proteger la superficie de trabajo cuando se corta tela con un cortador giratorio. Además, incluye una cuadrícula para alinear la tela. Se encuentra disponible en diversos tamaños; A3 es el tamaño útil más pequeño para confeccionar acolchados. Yo utilizo el tamaño A0, pero cualquier medida entre estos dos también sirve.

La plancha de corte también es útil para muchas otras actividades, de manera que merece la pena la inversión.

Cortador giratorio (2)

Se emplea para cortar tela sobre la plancha de corte junto con una regla de acolchador, la tercera herramienta esencial. Facilita tanto el corte de tela que le cambiará la vida.

La cuchilla debe moverse siempre en la dirección opuesta al cuerpo durante el corte, y es preciso protegerla con la funda cuando termine. Recuerde que un cortador giratorio es, en realidad, una cuchilla circular; por tanto, hay que utilizarlo con cuidado.

Existen diferentes tamaños; el de 45 mm es el más adecuado, aunque también uso uno de 28 mm. Mi marca favorita es Olfa, pero lo más importante de un cortador es que lo pueda sujetar con comodidad en la mano. No olvide comprar algunas cuchillas de recambio y sustituirlas con frecuencia.

Regla de acolchador (3)

La última de las tres herramientas imprescindibles le permitirá asegurarse de cortar las piezas del tamaño adecuado. Es de acrílico transparente y está pensada para emplearse junto con un cortador giratorio y una plancha de corte a fin de facilitar cortes precisos. Las reglas de acolchador se venden en diferentes tamaños y con medidas métricas o imperiales. Necesitará al menos una de 30 cm, aunque normalmente conviene que sea más larga.

Máquina de coser

No tiene que ser muy cara; basta con que le permita coser puntadas rectas. Si acolcha a máquina, necesitará un prensatelas móvil y varias agujas, en función del tipo de tela que utilice.

Asegúrese de contar con un marcador de costuras de 1 cm en la máquina. En caso contrario, utilice cinta de enmascarar para marcar una línea de 1 cm a la derecha de la aguja que sirva a modo de guía.

Plancha

Utilice una plancha de vapor para conseguir unas costuras perfectamente lisas.

Alfileres

Creo que los mejores son los largos y finos. Asegúrese de que cuenten con una cabeza de cristal o metálica, ya que si es de plástico se fundirá si entra en contacto con una plancha caliente.

Tijeras (4 y 5)

Necesitará unas tijeras para tela (4), que nunca deben utilizarse para cortar papel, y unas tijeras pequeñas (5) para cortar hilos.

Descosedor (6)

Resulta útil para rectificar errores y deshacer costuras rápidamente. Asegúrese de que la hoja esté bien afilada.

Tiza de sastrería o lápices borrables (7)

Sirven para calcar los diseños acolchados en la tela, en caso de que sea necesario.

Agujas

Disponga de varios tipos de agujas para acolchar y coser a mano.

Dedales

Prefiero los de cuero a los metálicos, ya que me resultan más flexibles y cómodos. También he usado apósitos de tela en alguna ocasión en que no encontraba el dedal.

Entretela termoadhesiva

Se utiliza para estabilizar los tejidos de punto y las telas finas o delicadas.

Cortar y ensamblar

Nota sobre el corte de prendas de vestir

Probablemente la idea de cortar su vestido de boda, la primera prenda de su hijo o hija o cualquier otra pieza de ropa le resulte un poco difícil. Por supuesto, si empieza, ya no hay marcha atrás. A continuación se indica la mejor manera de abordar cada tipo de prenda una vez que reúna el valor necesario.

- Camisas: empiece por cortar las mangas y retire los puños. Acto seguido, quite el cuello. Corte siguiendo las costuras delanteras y traseras, y retire botones y ojales. Por último, elimine la tapeta, si la hay (la mayoría de las camisas de hombre la llevan). Ahora tendrá únicamente piezas de tela lisas.

- Faldas: corte las cinturas, los bolsillos y las cremalleras. A continuación, corte por las líneas de costura y, ¡listo!, tendrá mucha tela para aprovechar.

- Pantalones largos y cortos: corte pretinas, bolsillos y cremalleras. Después, corte siguiendo la línea de costura y obtendrá cuatro piezas lisas de tela.

Corte (1)

Aunque me gusta la filosofía *wabi-sabi* para muchas cosas, cortar tela para un acolchado no es la mejor ocasión para introducir el concepto de ausencia de perfección. Por el contrario, si corta la tela con precisión, tendrá muchas más probabilidades de que todo encaje de forma perfecta cuando cosa las piezas.

Asegúrese de trabajar con piezas de tela del tamaño adecuado para su plancha de corte. Corte las piezas grandes para darles un tamaño manejable antes comenzar con el corte para el acolchado.

Siguiendo el diagrama del diseño elegido y comenzando con la pieza número 1, corte la primera pieza de tela utilizando la regla de acolchador a modo de guía para el tamaño. Emplee las líneas de la plancha de corte para asegurarse de que la tela queda recta y la regla para cortar el tamaño adecuado.

Cuando corte, compruebe que la hoja del cortador giratorio está perpendicular a la regla y desplace el cortador siempre en la dirección opuesta a su cuerpo. El corte debe ser firme, pero sin presionar demasiado. En caso necesario, gire la plancha de corte y no caiga

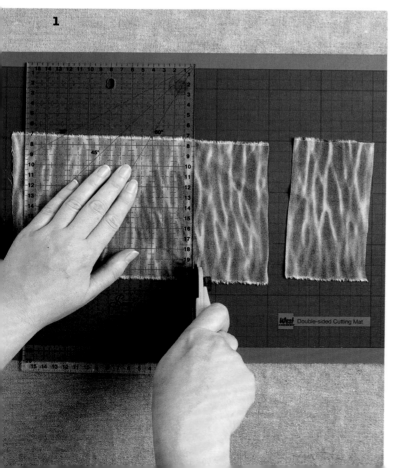

en la tentación de cortar la tela a lo ancho. Permanecer de pie mientras se corta facilita considerablemente la tarea.

Por último, aunque no menos importante, como persona zurda entiendo que muchas actividades son casi imposibles de aprender (punto, por ejemplo). Si este es su caso, utilice la parte izquierda de la plancha de corte como punto de referencia y sujete la regla con la mano derecha. Si es diestra, use la parte derecha de la plancha de corte a modo de punto de partida y sujete la regla con la izquierda.

¿Corte con maña o no?

Si cuenta con una pieza con un pájaro o una flor como motivo central, o con un bordado, tal vez desee cortar la tela para aprovechar al máximo esos elementos. En este caso, utilice la regla para centrar el motivo. Si le sirve de ayuda, emplee un lápiz que pueda borrar o tiza de sastre para señalar la posición de manera precisa.

Ensamblaje (2-4)

Si confecciona un acolchado en el que las piezas han de ser de tamaño similar (como es el caso de la colcha «Unión», pág. 40), corte todas las piezas antes de empezar a unirlas con costuras. En caso contrario, puede cortar y ensamblar las secciones o bloques de una en una y después juntarlas todas.

El ensamblaje consiste en coser las piezas de la capa superior de una colcha, por ejemplo. Puede hacerlo a máquina o a mano. Como es obvio, la primera opción es mucho más rápida, pero en algunos proyectos resulta más práctico trabajar a mano (por ejemplo, los cuadros «Nomeolvides», pág. 110).

Junte las piezas con los derechos juntos y en el orden que se indica en el diagrama correspondiente. Sujete las costuras con alfileres antes de coser. Cuando tenga cada pieza cosida en su lugar, planche las costuras abiertas con una plancha de vapor. El hecho de planchar cada costura a medida que avanza ayuda a que la pieza acabada quede mucho más bonita. Dé la vuelta a la pieza y añada la siguiente tela para ir componiendo el bloque de forma gradual.

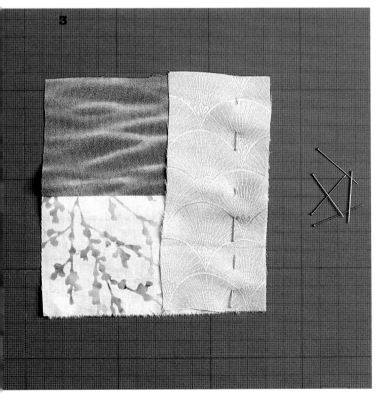

Partes de una colcha

Una colcha se compone de cuatro partes: la capa superior de patchwork; la entretela, que aporta grosor y calidez; la capa inferior y el ribete. Las cuatro partes juntas le permitirán crear la colcha ideal para usted y los suyos.

Capa superior

Es la que implica más trabajo y la parte que queda visible. El diseño y las telas que elija determinarán el carácter de la colcha.

Entretela (*véase* inferior)

La entretela, o guata, es la pieza que se encuentra en medio. Aporta peso a la colcha y mantiene el calor.

Existen numerosos tipos de entretelas, desde poliéster hasta soja. También hay de algodón y de mezclas de algodón (con bambú, por ejemplo) y de lana.

Algunas entretelas son muy delicadas; otras son más fáciles de acolchar a mano y otras no van demasiado bien en la máquina de coser. Lo mejor es consultar en la red los tipos y sus características para decidir qué prefiere utilizar. Yo me decanto por algodón o por una mezcla de algodón y bambú; depende de la colcha y de la persona que la recibirá. Nunca uso entretela de poliéster.

También puede utilizar otras telas en lugar de entretela. Las colchas *kantha* indias cuentan con varias capas de algodón para dar grosor. También puede emplear una vieja manta de lana, forro polar o incluso un abrigo de lana. El objetivo de la entretela es mantener el calor y aportar peso y densidad a la colcha. Por tanto, cualquiera de estas opciones es válida.

Consulte siempre las instrucciones del fabricante de la entretela para averiguar si debe lavarla antes de utilizarla.

Capa inferior (*véase* pág. siguiente)

Me gusta pensar en la capa inferior como la sorpresa de una colcha. Nadie espera algo especial del revés de una pieza, pero es la oportunidad perfecta para convertir la colcha en algo realmente único. La capa inferior es la parte que está más cerca del cuerpo, y la idea es que resulte agradable. Por tanto, recomiendo de forma encarecida el uso de telas naturales para esta parte.

En cuanto a las telas que puede utilizar, la lista es casi interminable. Las sábanas antiguas y el algodón tejido a mano son opciones estupendas. ¿Y qué hay de los restos de la capa superior ensamblados de un modo más aleatorio? Sin duda, puede comprar un precioso algodón para acolchar, pero también puede aprovechar uno o dos saris, algo de pana suave o un terciopelo ligero. Si usa telas que ceden un poco (cosa que no recomiendo), tendrá que protegerlas primero con una entretela.

Ribete

Los bordes de la colcha quedan encerrados en un ribete; por tanto, en el aspecto práctico, este hace que la colcha sea más resistente. Desde la perspectiva del diseño, el ribete ofrece otra oportunidad para añadir algo especial que ligue todos los elementos de la colcha.

El ribete acepta muchos tipos de telas: restos de la capa superior, una pieza por completo nueva, corbatas o tafetán de seda, por ejemplo. También puede comprar ribete preparado en telas que van desde el raso hasta algodón Liberty o terciopelo.

Si confecciona su propio ribete, puede cortarlo a lo ancho con respecto a la dirección del hilo o al bies. Cortar en la dirección del hilo resulta más económico y un poco más sencillo. El corte al bies aporta cierta elasticidad, lo que facilita el ajuste en las esquinas (*véase* también pág. 132).

Distribución de las piezas y ensamblaje de la colcha

Preparación del «sándwich»

Cuando tenga las capas superior e inferior de la colcha, podrá componer el «sándwich».

Como se menciona en cada proyecto, la entretela y la capa inferior deben medir al menos 10 cm más que la capa superior. Esto es muy importante porque, cuando empiece a sujetar la colcha con alfileres, la capa superior se moverá un poco, y es mejor contar con exceso de tela en la capa inferior, que después podrá cortar, que tener que cortar la capa superior.

Planche la capa inferior y colóquela con el derecho hacia abajo, a ser posible sobre una superficie dura (el suelo o una mesa, si se trata de una colcha pequeña). Asegúrese de que la superficie está perfectamente limpia y de que no haya mascotas o niños que le interrumpan en esta fase del proceso. Si la capa inferior se compone de una mezcla de telas, decida dónde estará la parte superior y la inferior (es decir, en qué dirección la colocará sobre la cama). Alise bien esta capa para eliminar todas las arrugas. A continuación, utilice cinta de enmascarar para sujetar la capa inferior a la superficie de trabajo en varios puntos de los cuatro lados, pero no en las esquinas.

Ponga encima la entretela, alísela y alinee los bordes con los de la capa inferior. Si la entretela es más grande que esta, córtela para que coincidan.

Planche con esmero la capa superior de la colcha y revísela una última vez para asegurarse de que no queden hilos sueltos. Decida cuál va a ser la parte superior de la colcha y cuál la inferior, y disponga la capa superior boca arriba sobre la entretela. Compruebe que las tres capas queden bien alineadas y alíselas. Probablemente llevará ya un rato trabajando de rodillas; puede tomarse un descanso antes de pasar a la siguiente fase.

Sujeción con alfileres/hilvanar (_véase_ pág. siguiente)

A continuación, debe sujetar juntas las tres capas para poder acolcharlas. Para ello existen tres opciones.

La primera consiste en utilizar alfileres, que es lo que yo hago (y mejor que sean los más largos que pueda encontrar). Empiece en el centro o en un lado de la colcha y pase los alfileres a través de las tres capas, cada 15-20 cm, alisando las telas a medida que avanza. Es muy importante mantener la colcha lisa; de lo contrario, se producirán pequeños frunces o excesos de tela no deseados.

La ventaja de los alfileres es que son baratos, fáciles de usar y pueden utilizarse con cualquier método de acolchado. El inconveniente es que algunos se caen y que cuando acolche a mano se pinchará (y bastante, probablemente). Cuando trabajo a mano, guardo la colcha en una cesta y reviso a fondo el sofá al acabar. De ese modo evito los gritos de mi familia al día siguiente.

La segunda opción consiste en hilvanar la colcha a mano con una aguja curvada (es preferible, pero no imprescindible). Las puntadas deben ser largas, con una separación de 12-15 cm tanto en horizontal como en vertical. Para esta operación conviene disponer de un acolchador de brazo largo (_véase_ «Acolchado de brazo largo», más abajo). El inconveniente es que no se puede coser a máquina una colcha que se ha hilvanado.

La tercera opción reside en utilizar imperdibles de acolchador, que se parecen a los que se empleaban en el pasado para sujetar los pañales y que se venden en establecimientos especializados. La técnica es la misma que con los alfileres. No soy una entusiasta de este método, ya que pueden aparecer bultos en la colcha si no se tiene experiencia. Además, es preciso planificar las líneas de acolchado si piensa acolchar a máquina.

Consejo para planificar las líneas de acolchado

La cinta de enmascarar constituye una gran ayuda para acolchar, y no solo cuando se prepara el «sándwich», sino también para marcar líneas rectas en la colcha para seguirlas cuando se trabaja a mano. ¿Quién lo iba a imaginar?

Acolchado de brazo largo

Puede recurrir a profesionales experimentados para que le acolchen su colcha con el método de brazo largo. Es una opción frente a la alternativa de acolcharla en casa a mano o a máquina (_véase_ pág. 131). En lugar de preparar el «sándwich», no tiene más que enviar las partes de la colcha o ir usted misma al establecimiento que elija. Pueden hilvanar la colcha o acabarla por completo e incluso añadir el ribete. Es libre de decidir qué partes del proceso desea encargar.

El acolchado de brazo largo aporta un acabado más liso y más refinado que el manual, y unos diseños más precisos que los que podemos conseguir acolchando con una máquina de coser doméstica.

Además, los profesionales ofrecen una enorme variedad de diseños de acolchado y de colores de los hilos para enriquecer el aspecto de las colchas. Normalmente también pueden proporcionar la entretela, con lo que se evitará tener que buscarla.

Yo recurro a acolchadores de brazo largo para todas las colchas que me encargan. Asimismo, han hilvanado varias de las piezas acolchadas a mano de este libro porque la preparación del «sándwich» es la parte que menos me gusta.

Cada uno de nosotros tiene sus circunstancias personales en lo que respecta al tiempo, el dinero y las aficiones, y todos podemos solicitar el servicio de acolchado de brazo largo que más nos convenga.

Tipos de acolchado

Una vez que ya ha marcado con cinta de enmascarar, ha preparado las tres capas, ha alisado la colcha y la ha unido con alfileres (o ha recurrido para ello a la experiencia de un profesional), ha llegado el momento propiamente dicho de acolchar. De nuevo, existen diversas opciones, y cada una aportará un toque distinto. El objetivo del acolchado consiste en mantener juntas las capas de la colcha. La costura puede ser muy sencilla o muy decorativa, a base de líneas rígidas o en estilo libre.

Acolchado de brazo largo
(*véanse* también págs. 128-129)
Me encanta este método porque la elección del diseño del acolchado puede cambiar por completo el aspecto de toda la colcha. Tiende a aplanar la pieza y aporta un aspecto más «moderno», pero me gusta. Y también me gusta el hecho de que brinda la oportunidad de colaborar con artesanos (cosa que, en general, mejora todavía más la colcha acabada).

Acolchado a mano
Este método confiere un aspecto completamente distinto. Resulta mucho más delicado, y la colcha presenta más «cuerpo» y un aire más *vintage*. Por supuesto, también parece mucho más artesanal, ya que las líneas de costura quedan interrumpidas en lugar de ser continuas.

Me gusta acolchar a mano de vez en cuando; en estos casos utilizo una simple puntada corrida en el diseño que elija. Por lo general, trabajo a 5 mm de las costuras, siguiendo las líneas de ensamblaje; a veces coso el acolchado siguiendo las costuras para conseguir un aspecto más sutil, o bien lo hago en torno a emblemas concretos o con líneas más complejas (serpenteantes, onduladas...). No siempre planifico cuánto ni dónde voy a acolchar, depende del estilo de la colcha.

La cuestión es que puede acolchar a mano tanto como desee. Puede invertir diez horas o cien. Tengo una colcha en la que llevo trabajando alrededor de seis meses. Al principio cosí a mano las suficientes líneas rectas como para mantener las piezas unidas, y ahora que he retirado los alfileres, continúo añadiendo más líneas cada vez que me apetece.

A los acolchadores manuales tradicionales les gusta utilizar bastidores (sin apoyos o sujetos con una mano) para mantener la tela tensa. Yo prefiero coser sobre el regazo, empezando por un lado de la colcha y trabajando a lo ancho. Es posible que los más puristas no lo aprueben, pero casi siempre tomo la colcha y continúo cosiendo como más me gusta.

Acolchado a máquina
Es el método que menos me gusta; carece de la bonita simplicidad del acolchado a mano y del estilo de brazo largo. No obstante, también tiene su lugar: si desea confeccionar algo rápido, por ejemplo, o para un diseño muy sencillo. Si domina la máquina de coser, puede abordar el acolchado libre, que le permitirá crear motivos similares al brazo largo.

Si su máquina de coser es muy sencilla, se enfrentará a limitaciones en cuanto al tamaño de la pieza que puede acolchar a máquina: 160 × 160 cm está bien, pero considero que por encima de esa medida resulta complicado acolchar. Para facilitar el acolchado a máquina de una pieza grande, enrolle con firmeza un lado de la colcha de manera que encaje en el hueco circular de la máquina. Acolche todo lo que pueda en un lado y después gire la pieza, enrolle el otro lado y continúe con el acolchado.

No olvide utilizar un prensatelas móvil para acolchar a mano y un pie para zurcir si posee el dominio suficiente para el acolchado libre.

Otros métodos
Por último, pero no menos importante, puede utilizar botones o cuentas para sujetar las piezas de una colcha, o bien unas sencillas puntadas en cruz (como en la colcha «Porque les quiere», *véase* pág. 48). También puede unir las tres capas con lana o algodón en el color que prefiera.

Estos métodos resultan mucho más sencillos y ofrecen un aspecto un poco naif, pero en el proyecto adecuado lucirán fantásticos. Además, permiten introducir un tipo distinto de hilo o de adornos complementarios. Debe tener presente para quién es la pieza y asegurarse de que será funcional, además de bonita.

Ribetes

Una vez acolchada la pieza, corte todo el exceso de tela de la capa inferior y la entretela para que queden alineadas con la capa superior (*véase* inferior). No se exceda al cortar: es fácil caer en la tentación de buscar líneas perfectas hasta el punto de hacer desaparecer partes de la capa superior entre las tijeras o bajo el cortador circular.

Existen más modos de ribetear una colcha de lo que podría imaginar, y cada persona tiene su propio método favorito. A mí me gustan los ribetes estrechos; otros prefieren que sean anchos y robustos. Me encanta la puntada invisible perfectamente espaciada, pero para algunas personas resulta una auténtica tortura.

Experimente con diferentes métodos hasta que encuentre el que más le plazca. Puede copiar el método de otra persona si le va bien. O también puede encargar a un profesional que confeccione el ribete.

Confección del ribete

Mida los cuatro lados de la colcha y sume 15-20 cm más para obtener el largo del ribete.

Por supuesto, puede utilizar un ribete ya listo para coser, pero si desea confeccionarlo por su cuenta, comience por elegir la tela (*véase* pág. 126). A continuación, tiene que cortarlo en tiras, bien a lo ancho con respecto a la dirección del hilo o al bies. Esta última opción da lugar a un ribete con más tendencia a ceder, pero requiere más tela.

Normalmente corto las tiras de 5 cm de ancho porque me gustan los ribetes estrechos, pero puede aumentar esa medida si los prefiere anchos. No olvide incluir 1 cm de margen de costura cuando decida la anchura de las tiras.

Junte las tiras por los extremos, con los derechos mirándose, para formar una pieza continuada con el largo suficiente para ribetear toda la colcha. Acto seguido, planche la tira por la mitad a lo largo, con los lados del revés juntos, para formar una línea central.

Colocación del ribete

Resulta difícil describir esta fase. He leído muchas versiones, y la última siempre me deja más perpleja que la anterior. Le pedí a mi madre que me enseñase cómo lo hace ella, y así es como lo he hecho siempre, pero también recomiendo algún tutorial de YouTube.

Deje libres unos 10 cm de un extremo de la tira de tela para el ribete. Con los derechos juntos, empiece a sujetar con alfileres un orillo del ribete a un borde de la colcha (*véase* pág. anterior, inferior derecha). Coloque el ribete de este modo en todo el perímetro de la colcha, a través de las capas, hasta que llegue al punto de partida. Deje sueltos los extremos del ribete.

Cosa el ribete a máquina. Existen más métodos para las esquinas de los que tal vez imagine (de nuevo, YouTube será de gran ayuda). A algunas personas les gusta coser el ribete por un lado primero, empezando cada lado con una nueva tira de tela y doblando la segunda tira sobre la primera esquina, y así sucesivamente. Mi método favorito consiste en dejar de coser a unos 5 mm de la esquina, pespuntear y después doblar el ribete en torno a la esquina (ello se debe a que me gustan las esquinas redondeadas, pero es posible que usted las prefiera rectas).

Cuando se acerque al punto de partida, cosa un pespunte y retire la colcha de la máquina de coser. Corte el exceso de ribete dejando suficiente tela para doblar los extremos. Doble los extremos hacia abajo y superponga uno con el otro. Sujételos con alfileres y dé las últimas puntadas.

Doble el ribete sobre la capa inferior de la colcha y sujételo con alfileres, con el orillo doblado hacia abajo. Cosa el ribete a la capa inferior, a mano, con puntada invisible.

Nota: puede probar a coser el ribete a las capas superior e inferior, a mano, de una pasada. Necesitará muchos alfileres y mucha concentración para atrapar las tres capas en cada puntada.

Cómo crear sus propios diseños: «estilo libre»

Para mí, aquí empezó todo. Me encantaban las colchas y lo que significaban, pero no me gustaba lo que encontraba. En las tiendas me sentía un poco agobiada y desconcertada. Todo me parecía demasiado limitado: utilice esta combinación de telas, con este método y este diseño. ¿Y si no me gustaba alguna tela del conjunto? ¿Y si deseaba utilizar mis queridas sedas japonesas?

Así, cuando aprendí a confeccionar una colcha (gracias otra vez, mamá), hice una con mi propio diseño. Lo llamo «estilo libre». No es difícil y resulta increíblemente liberador. Solo se necesita un poco de inspiración, papel para abocetar, papel cuadriculado, papel de calcar, un lápiz y una goma de borrar, y un escalímetro. ¡Ah, y un poco de matemáticas básicas!

Para encontrar ideas, visite galerías de arte, tiendas y jardines. Asista a alguna exposición y hojee libros sobre cualquier tema de su interés. Confieso que solo tengo tres libros prácticos sobre acolchado y uno sobre historia de los acolchados. Sé que no es mucho, pero en cambio poseo alrededor de quinientos volúmenes sobre tejidos, arte, poesía, diseño, jardines, tipografía, viajes y moda. De ahí surge mi inspiración. Un poema de Robert Frost me dio una idea fantástica para el diseño de una colcha, y algunas imágenes de libros de tejidos étnicos me han brindado muchas otras. Un libro contemporáneo sobre flores dio pie a las paletas cromáticas de, al menos, dos colchas de este volumen, y de un viejo manual de cocina de Nueva Zelanda saqué otra idea. La inspiración puede surgir de absolutamente cualquier parte. No se limite a lo que cree que debería hacer.

Con la inspiración ya de su parte, realice bocetos, prepare un *mood board* o tome algunas fotografías. Decida la forma y el tamaño de la colcha, y ya podrá empezar a diseñar un patrón.

Escoja la escala que debe aplicar. Si nunca ha empleado un escalímetro, visite una tienda especializada en artículos para artistas y pregunte cómo se utiliza. Si va a confeccionar una colcha de matrimonio, la mejor escala es 1:10, lo que significa que 1 cm en el papel milimetrado equivale a 10 cm en la vida real, es decir, que cabe en un papel milimetrado A3. El hecho de reducir la escala de su diseño le permitirá dibujarlo en un tamaño manejable. Es lo que representa la imagen de la página siguiente, que corresponde al dibujo que fue el punto de partida para la colcha especial de cumpleaños (*véase* pág. 22).

A lápiz, empiece a transferir el boceto a un diseño real en papel milimetrado. No olvide dibujarlo de tal manera que después pueda construir los bloques cuando corte y ensamble la colcha. Esto implica que cada pieza debe tener el mismo largo o ancho que la pieza a la que va a unirla por esa costura. Observe los diagramas del libro para entender este aspecto mejor.

Experimente con las líneas hasta conseguir un diseño que le complazca. A continuación tendrá que marcar el tamaño final y el tamaño de corte en cada pieza del diagrama. El tamaño final indica las dimensiones que ha dibujado y representa el retazo cosido en la colcha acabada. El tamaño de corte hace referencia a lo que en verdad tiene que cortar (el tamaño final con el margen de costura añadido a los cuadro lados, incluidos los de los bordes de la colcha). Yo siempre utilizo un margen de costura de 1 cm, en primer lugar porque facilita los cálculos y, en segundo lugar, porque resulta más sencillo incorporar diferentes telas y permite prescindir de una costura perfecta (algo necesario para los principiantes). No obstante, esta es su oportunidad de aplicar el margen de costura que más le convenga. Por ejemplo, si la pieza final mide 20 × 30 cm y el margen de costura es de 1 cm, el tamaño de corte será de 22 × 32 cm.

Calque el diseño y marque únicamente el tamaño de corte. Si lo desea, puede añadir colores o llevarse el diagrama cuando salga a comprar telas. Es posible que su diseño proceda de telas que ya tiene, lo cual resulta igual de interesante.

Esto es lo que quiero que consiga: que cree su propia colcha. Una pieza que diga: «Esta soy yo, esta es mi vida, esta es mi historia». Me basta con que una sola persona lo logre para darme por satisfecha. Habremos cerrado el círculo y la confección de colchas será una expresión personal, de la familia y de la historia, sea cual sea la suya.

La **inspiración** puede surgir de
absolutamente *cualquier parte*. No se
limite a lo que cree que *debería hacer*.

Recursos

Existen numerosas tiendas especializadas en todo el mundo, físicas y *on-line*. En casi todos los casos resulta fácil encontrarlas mediante un motor de búsqueda, de modo que pensé que sería buena idea mencionar diferentes lugares donde podrá adquirir telas artesanales o que no se utilizan de forma habitual en la confección de acolchados.

African Fabric

+44 (0)1 484 850 188

www.africanfabric.co.uk

Maggie se encarga de una fantástica selección de telas africanas. Su pasión (no solo por las telas, sino también por las personas y los lugares) resulta evidente. Compro mucho en su tienda virtual, y algunas de las telas de la colcha «Unión» (véase pág. 40), el bolso reversible (véase pág. 76) y la colcha de picnic «Todos juntos» (véase pág. 88) proceden de su tienda.

Clothaholics

+44 (0) 1782 723 120

www.clothacolics.com

Helen es experta en telas japonesas. Posee un gran sentido de la estética y elige tejidos sorprendentes. Las existencias cambian de manera habitual, y si se suscribe a su newsletter estará al tanto de las novedades y las ofertas.

The Cloth House

47 Berwick Street, Londres W1F 85J

+ 44 (0)20 7437 5155

y 98 Berwick Street, Londres W1F 0QJ

+44 (0)20 7287 1555

www.clothhouse.com

Esta es mi tienda física favorita para comprar telas. Tienen de todo: desde khadi de algodón estampado hasta linos vintage o lanas japonesas. Practican el comercio justo y trabajan con productores de todo el mundo. No encontrará sus telas en ninguna otra parte. El personal conoce el género y es servicial, y los propietarios son unos apasionados de sus productos.

Las existencias cambian constantemente, de manera que si se ve algo que le gusta, adquiéralo. Todas las colchas de este libro incluyen telas de The Cloth House.

The Cloth Shop

290 Portobello Road, Londres W10 5TE

+44 (0)20 8968 6001

www.theclothshop.net

Establecimiento especializado en telas antiguas, linos franceses y suecos, terciopelos de algodón, acolchados indios y muchas mantas vintage de lana. No venden por internet, de manera que, si tiene la posibilidad, intente visitar Portobello Market un viernes o un sábado.

Fabrics Galore

52-54 Lavender Hill, Londres SW11 5RH

+44 (0)20 7738 9589

www.fabricsgalore.co.uk

Un secreto del sur de Londres. Aquí venden telas Liberty con descuentos, así como muchas otras telas maravillosas. Siempre está llena y siempre cambian las existencias. Visita imprescindible.

Ichiroya

www.ichiroya.com

El paraíso de los quimonos. Si le gustan las telas japonesas, aquí encontrará lo que busca, ya sea en rollos, quimonos o retales.

Liberty of London

Regent Street, Londres W1B 5AH

+44 (0)20 7734 1234

www.liberty.co.uk

Puede resultar más caro que otros algodones, pero la calidad es excepcional, y los colores y los diseños, maravillosos. Una gran experiencia.

MacCulloch & Wallis

25-26 Dering Street, Londres W1S 1AT

+44 (0)20 7629 0311

www.macculloch-wallis.co.uk

Llevan muchos años en la brecha y tienen de todo. El servicio es fantástico. Me encantan sus sedas y sus algodones para camisas.

Organic Cotton

www.organiccotton.biz

Tienda on-line que ofrece una enorme selección de telas de punto y tejidos orgánicos en diversos pesos y, lo mejor de todo, con unos colores maravillosos.

Parna

www.parna.co.uk

Página web muy recomendable, con una excelente selección de sábanas de lino vintage ideales para la capa inferior de las colchas.

Russell and Chapple

68 Drury Lane, Londres WC28 5SP

+44 (0)20 7836 7521

www.russellandchapple.co.uk

Tienda veterana con linos y algodones de excelente calidad a precios muy razonables. El lino del bolso reversible de la página 76 procede de aquí. Puede comprar on-line, pero es mucho mejor visitar la tienda al menos una vez para recopilar muestras.

Sri Threads

18 Eckford Street, 8, Brooklyn, NY 11222, Estados Unidos

+1 718 599 2559

www.srithreads.com

Un lugar extraordinario. Es caro, pero merece la pena si busca material especial de Japón o India. La sala Sri únicamente abre con cita previa, pero puede comprar on-line.

Mercadillos de antigüedades

Puce en París, Brooklyn Flea en Nueva York, Ardingly en el Reino Unido... Existen numerosas ferias y mercadillos especializados en tejidos o con una sección específica. Busque los más próximos en internet y dé una vuelta a ver qué encuentra.

eBay/Etsy

www.ebay.co.uk

www.etsy.com

Teclee lo que busca y surgirán cientos, si no miles, de vendedores. No compro mucho por estos medios, pero a veces hay suerte. No olvide guardar los datos de los vendedores cuyos productos le gusten.

Tiendas de segunda mano

Algunas son terribles, otras fantásticas, y cada vez hay más. Si puede justificar el gasto, adquiera lo que le guste y guárdelo. Todavía me acuerdo de un abrigo de raso de la década de 1940 que no compré, y eso fue hace más de diez años.

Por último, pero no menos importante: usted

Las colchas explican historias, y también puede contar la suya y la de su familia. Rebusque en armarios y cajas, y recopile recuerdos de sus viajes. Hable con sus allegados y reúna telas que signifiquen algo para ellos. Le sorprenderá lo que puede encontrar y lo que puede convertir en su propia herencia.

ACOLCHADORES DE BRAZO LARGO
The Quilt Room

37-39 High Street, Dorking, Surrey RH4 1AR

Encargos: +44 (0)1306 877307

www.quiltroom.co.uk

Son fantásticos (y lo afirmo con conocimiento de causa). Puede recurrir a ellos si vive en el Reino Unido, ya que cuentan con un servicio de mensajería y puede realizar sus encargos por teléfono.

Fuentes de inspiración

Existen lugares y libros que continúan inspirándome por mucho que vuelva a visitarlos o leerlos. Ya he comentado que no tengo muchos libros sobre acolchados, pero todos los que menciono a continuación, igual que los lugares, han sido fuentes de, al menos, un diseño o una idea. Vaya a todas las exposiciones y galerías que pueda. Vea películas y fíjese en el vestuario para obtener referencias. Disfrute de los jardines en todas las estaciones del año (en invierno ofrecen su aspecto más escultórico y artístico). Déjese impregnar por esos lugares y esos libros para que le provoquen ideas sobre los colores, las líneas o incluso un diseño completamente nuevo.

LUGARES

Charleston

Firle, Lewes, East Sussex BN8 6LL
+44 (0) 1323 811 626
www.charleston.org.uk
Me gusta pensar que Charleston es «mi lugar», pero estoy segura de que le ocurre lo mismo a miles de personas. Fue la sede y el punto de encuentro en el campo de los escritores, pintores e intelectuales que formaron el grupo de Bloomsbury. Es el lugar donde me siento más inspirada, y no solo por lo que esos artistas crearon, sino también por la idea de lo especiales que podemos ser cada uno de nosotros.

Victoria and Albert Museum

Cromwell Road, Londres SW7 2RL
+44 (0)20 7942 2000
www.vam.ac.uk
Descrito como el mejor museo de arte y diseño del mundo, el V&A es extraordinario. Tejidos, prendas de vestir, elementos arquitectónicos, artesanía en metal, joyería... La lista es interminable. Se trata de un museo lleno de vida. La entrada es gratuita, con la excepción de las exposiciones especiales (que casi siempre justifican el pago de la entrada).

Kelmscott Manor

Kelmscott, Lechlade, Glos, GL7 3HJ
+44 (0)1367 252486
www.kelmscottmanor.org.uk
Kelmscott fue la residencia de verano de William Morris, y probablemente sea su casa más sugerente. Alberga una maravillosa colección de las posesiones y las obras de Morris, sus familiares y sus socios, lo que incluye muebles, tejidos originales, pinturas, alfombras, cerámicas y trabajos en metal.

Sala Rothko de la Tate Modern

Tate Modern, Bankside, Londres SE1 9TG
+44 (0)20 7887 8888
www.tate.org.uk/modern
Las pinturas de Mark Rothko me resultan increíblemente inspiradoras. La sala permanente en la Tate Modern merece una visita.

Riba Bookshops

www.ribabookshops.com
Existen tres establecimientos en Londres (el de Portland Place es mi favorito). Considero que los libros de arquitectura son un gran recurso para diseñar colchas, ya que es una mezcla de construcción y creatividad que me ayuda. Observar las obras de algunos de los grandes arquitectos puede disparar su mente en todas direcciones.

Museo y jardín de esculturas Barbara Hepworth

Barnoon Hill, St. Ives, Cornualles TR26 1AD
www.tate.org.uk/visit/tate-st-ives/barbara-hepworth-museum
Visitar este espacio supone una experiencia única, ya que ofrece una interesante visión del trabajo de Barbara Hepworth. Se exhiben esculturas en bronce, piedra y madera en el museo y en el jardín, así como pinturas, dibujos y material de archivo de la artista.

Castillo de Sissinghurst

Biddenden Road, cerca de Cranbrook, Kent TN17 2AB
+44 (0)1580 710 701
www.nationaltrust.org.uk/sissinghurst-castle/
Suelo visitar muchos jardines, pero el de Sissinghurst es mi favorito. Me encantan los lugares que son el resultado de la visión creativa de una persona, y creo que hubiese sido muy interesante conocer a Vita Sackville-West. Intente ir al jardín en diferentes épocas del año, ya que de este modo entenderá lo extremadamente inteligente que fue.

LIBROS Y REVISTAS

Podría mencionar cientos, pero los que indico a continuación siempre los tengo a mano.

Etcetera y Nomad, Sibella Court
Flair Annual 1953, Random House
Grandiflora Arrangements, Saskia Havekes y Gary Heery
Home is where the heart is? y *Sensual Home*, Ilse Crawford
Madeleine Vionnet, Betty Kirke
Minimum, John Pawson
Poiret, The Metropolitan Museum of Art
Quilting, Patchwork and Appliqué - A world guide, Caroline Crabtree y Christine Shaw
The Quilts of Gee's Bend: Masterpieces from a Lost Place, William Arnett
Textiles: A World Tour, Catherine Legrand
Unwrapped, Carolyn Quartermaine

Bloom (Li Edelkoort)
Come Home (Japón)
Hand/Eye Magazine (Estados Unidos)
Vogue Living (Australia)
World of Interiors (Reino Unido)

Directorio

En las siguientes páginas encontrará todos los proyectos que aparecen en este libro, desde maravillosas colchas de matrimonio hasta mantas y otras piezas rápidas de confeccionar, como un camino de mesa, un cojín y un cuadro.

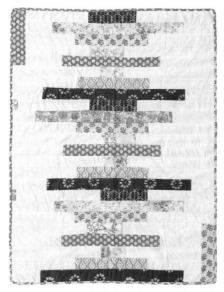

Colcha «Nueva vida» 10

Colcha de matrimonio 16

Colcha especial de cumpleaños 22

Colcha «Se van de casa» 28

Colcha «Un nuevo comienzo» 34

Colcha «Unión» 40

Colcha «Porque les quiere» 48

Colcha «Porque sabe que la necesitan» 52

Camino de mesa «Porque necesitan alegría» 58

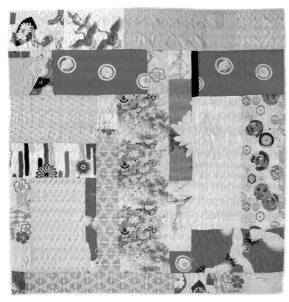

Colcha «Porque le gusta la tela» 62

Tímido intento de brazalete de la amistad 68

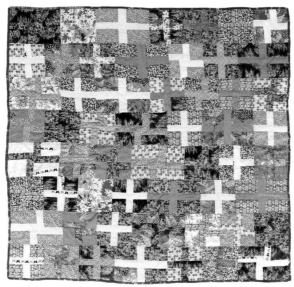

Mantel para el café de la mañana 70

Bolso reversible 76

Cojín para un nuevo hogar 80

Relax en un puf 84

Colcha de *picnic* «Todos juntos» 88

Colcha «Celebración de una vida vivida al máximo» 96

Cuadros «Nomeolvides» 110

Colcha «Historias de viajes» 104

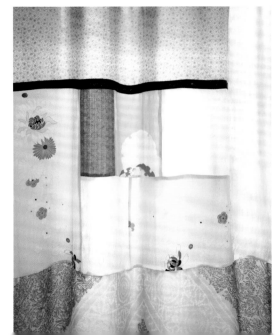

Cortina «Retales de historia» 112

Agradecimientos

Muchísimas gracias a:

Mi talentosa madre, que me puso la aguja y el hilo en las manos.

Mi hermana, que ondea la bandera más alta desde el otro extremo del mundo.

Rachel, por sus maravillosas fotografías y su manera de hacer increíblemente tranquila.

Las ingeniosas mujeres de The Quilt Room, por sus acolchados perfectos y su entusiasmo por este tipo de trabajos.

Todo el equipo de Jacqui Small.

Di e Ivan, nuestros amigos y excepcionales cuidadores de perros.

Mi Ed, extraordinariamente paciente y simplemente extraordinario.

CRÉDITOS EDITORIALES

El encantador Samuel Sparrow de **Sparrow and Co.**, una nueva colección *on-line* de preciosos artículos para el hogar hechos a mano. www.sparrowandco.com

Anthropologie UK www.anthropologie.eu

Cologne & Cotton encargos: 0845 262 2212 www.cologneandcotton.com